적중! 영어 독해

중등 **3**

교재 개발에 도움을 주신 선생님들께 감사드립니다.

강윤구 부산   권익재 대구   김광수 수원   김동관 서울   김연정 인천

김항중 서울   노준환 화성   류대국 광주   박선이 수원   박현도 전주

서동준 산본   오승준 부산   이신영 부산   이장령 창원   이제석 인천

이충기 화성   정도영 인천   정방현 익산   정진원 안동   조재신 안동

지정림 김제   최수남 강릉

적중! 영어 독해

중등 3

구성과 특징 | *Structure*

❶ 내가 아는 단어는 몇 개?

본문에 나오는 단어를 학습 전에 미리 확인해 볼 수 있습니다. 모르는 단어는 사진을 보고 뜻을 추측해 보고, 본문에서 뜻을 확인해 보세요.

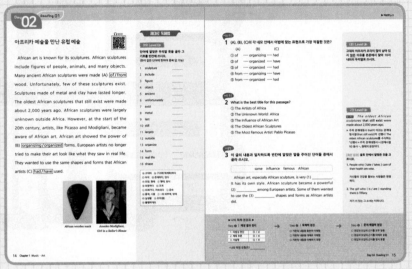

❷ Reading

흥미로운 소재의 지문들을 읽어 보세요. 모르는 단어들은 동그라미 표시를 해놓고, 지문을 다 읽고 난 후에 [어휘 Level Up] 문제를 풀면서 단어들의 뜻을 확인해 보세요.

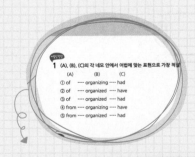

❸ 다양한 유형의 객관식 독해 문제

제목, 요지, 주장, 주제, 목적, 심경, 분위기, 지칭 추론, 내용 일치, 빈칸, 어휘, 어법, 무관한 문장, 문장 삽입, 글의 순서, 밑줄 추론, 요약문 완성 등의 다양한 독해 유형 문제를 풀어보세요.

❹ English Only

영어로만 제시된 문제를 풀어 보세요. 처음에는 어렵게 느껴질 수 있지만, 매 지문마다 한 문제씩 출제된 영어 문제를 매일 풀다 보면 금방 익숙해지고 영어 실력이 향상되는 것을 느낄 수 있을 거예요.

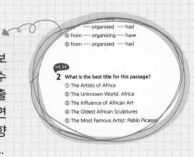

❺ 서술형

매 지문마다 한 문제씩 출제된 서술형 문제를 매일 풀다 보면 학교 내신 서술형 문제가 더 이상 어렵게 느껴지지 않을 거예요.

❻ 내신 Level Up · 구문 Level Up

학교 내신에 대비할 수 있는 추가 독해 문제도 풀어 보고, 지문에서 중요한 구문 풀이도 학습해 보세요. 독해력을 높일 수 있습니다.

내신 Level Up

고대의 아프리카 조각이 많이 남아 있지 않은 이유를 본문에서 찾아 10자 내외의 우리말로 쓰시오.

구문 Level Up

6~7행 *The oldest African sculptures* that still exist were made about 2,000 years ago.

▶ 주격 관계대명사 that이 이끄는 관계대명사절(that still exist)이 선행사 The oldest African sculptures를 수식하는 「선행사+주격 관계대명사+(관계사절의) 동사 ~」형태의 문장이다.

[확인 문제] 괄호 안에서 알맞은 것을 고르시오.

❼ QR코드

학습이 끝난 후에 원어민이 녹음한 파일을 들으면서 복습할 수 있습니다. 첫 번째는 눈을 감고 들으면서 내용을 확인하고, 두 번째는 지문을 보면서 따라 읽어보세요.

만난 유럽 예술

🎧 02-01

wn for its sculptures. African sculptures
ople, animals, and many objects
es were made (A) of

어휘 테스트

Ⓐ 사진을 보고, 빈칸에 알맞은 단어를 골라 쓰시오.

appearance   encourage   goldfish   schoolwork   practice   wrong

❽ 어휘 테스트

사진을 보고 문장 빈칸 채우기, 영영풀이 찾기 문제를 풀어 보세요. 본문에 나온 단어를 종합적으로 복습할 수 있습니다.

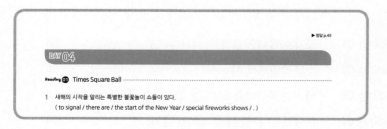

1 Chapter

Music · Art

Day 01 Reading 01

▶ pp.10~11

BTS의 Love Myself

지문 분석

❶ In 2018, BTS, Korean music group, made a great speech

정답과 이유

1 어법성 판단

정답 ②

해설
ⓐ 문장의 동사가 와야 하므로 talking이 아니라 시제에 맞게 동사의 과거형 talked가 와야 한다.
ⓑ their own music이 "Love Myself"라고 불리는 것이므로 수동의 의미를 나타내는 과거분사 called가 적절하다.
ⓒ 「begin+to부정사」형태로 앞의 began to shut과 병렬구조이므로 (began to) listen이 적절하다.
ⓓ 「부정어+(조)동사+주어」의 어순으로 나타내는 게 적절하다.
ⓔ 주어와 목적어가 같은 대상일 경우 목적어으로 「대명사+-self/selves」

❾ 해설편

해석을 막힘없이 할 수 있도록 도와주는 지문 분석과 지문 해석, 정답의 이유를 알려주는 문제 해설로 구성된 해설편을 옆에 두고, 학습에 도움을 받아 보세요.

▶ 정답 p.45

DAY 04

Reading 01 Times Square Ball ····························

1 새해의 시작을 알리는 특별한 불꽃놀이 쇼들이 있다.
(to signal / there are / the start of the New Year / special fireworks shows / .)

❿ 워크북

본문에 나온 단어들을 정리한 Word List와 간단한 확인 문제인 Word Test를 통해 단어를 암기하고 확인해 볼 수 있습니다.

Writing Test를 통해 주요 문장들을 복습하고 학교 내신 서술형 문제에도 대비할 수 있습니다.

차 례 *Contents*

◎ 적중! 영어독해가 제시하는 표준 학습 계획입니다. 이를 참고하되, 반드시 자신만의 학습 플랜을 세워 보세요.

Chapter	Reading		문제편	해설편	워크북		학습 플랜		
					Word	Writing	중위	상위	스스로
Chapter 1	Day 01	Reading 01	pp.10-11	p.1	pp.3-4	p.25	1일	1일	
		Reading 02	pp.12-13	p.2					
	Day 02	Reading 01	pp.14-15	p.3		p.26	2일		
		Reading 02	pp.16-17	p.4					
	어휘 테스트		p.18	p.4					
Chapter 2	Day 03	Reading 01	pp.22-23	p.5	pp.5-6	p.27	3일	2일	
		Reading 02	pp.24-25	p.6					
	Day 04	Reading 01	pp.26-27	p.7		p.28	4일		
		Reading 02	pp.28-29	p.8					
	어휘 테스트		p.30	p.8					
Chapter 3	Day 05	Reading 01	pp.34-35	p.9	pp.7-8	p.29	5일	3일	
		Reading 02	pp.36-37	p.10					
	Day 06	Reading 01	pp.38-39	p.11		p.30	6일		
		Reading 02	pp.40-41	p.12					
	어휘 테스트		p.42	p.12					
Chapter 4	Day 07	Reading 01	pp.46-47	p.13	pp.9-10	p.31	7일	4일	
		Reading 02	pp.48-49	p.14					
	Day 08	Reading 01	pp.50-51	p.15		p.32	8일		
		Reading 02	pp.52-53	p.16					
	어휘 테스트		p.54	p.16					
Chapter 5	Day 09	Reading 01	pp.58-59	p.17	pp.11-12	p.33	9일	5일	
		Reading 02	pp.60-61	p.18					
	Day 10	Reading 01	pp.62-63	p.19		p.34	10일		
		Reading 02	pp.64-65	p.20					
	어휘 테스트		p.66	p.20					
Chapter 6	Day 11	Reading 01	pp.70-71	p.21	pp.13-14	p.35	11일	6일	
		Reading 02	pp.72-73	p.22					
	Day 12	Reading 01	pp.74-75	p.23		p.36	12일		
		Reading 02	pp.76-77	p.24					
	어휘 테스트		p.78	p.24					
Chapter 7	Day 13	Reading 01	pp.82-83	p.25	pp.15-16	p.37	13일	7일	
		Reading 02	pp.84-85	p.26					
	Day 14	Reading 01	pp.86-87	p.27		p.38	14일		
		Reading 02	pp.88-89	p.28					
	어휘 테스트		p.90	p.28					
Chapter 8	Day 15	Reading 01	pp.94-95	p.29	pp.17-18	p.39	15일	8일	
		Reading 02	pp.96-97	p.30					
	Day 16	Reading 01	pp.98-99	p.31		p.40	16일		
		Reading 02	pp.100-101	p.32					
	어휘 테스트		p.102	p.32					
Chapter 9	Day 17	Reading 01	pp.106-107	p.33	pp.19-20	p.41	17일	9일	
		Reading 02	pp.108-109	p.34					
	Day 18	Reading 01	pp.110-111	p.35		p.42	18일		
		Reading 02	pp.112-113	p.36					
	어휘 테스트		p.114	p.36					
Chapter 10	Day 19	Reading 01	pp.118-119	p.37	pp.21-22	p.43	19일	10일	
		Reading 02	pp.120-121	p.38					
	Day 20	Reading 01	pp.122-123	p.39		p.44	20일		
		Reading 02	pp.124-125	p.40					
	어휘 테스트		p.126	p.40					

◎ 자신의 학습 능력과 상황에 따라 스스로 학습 플랜을 완성하고, 학습에 반드시 활용해 보세요.

중위권을 위한 학습 플랜

공부한 날(월/일)	[학습 지문 수] 학습 내용
1일차 (월 일)	[2] Day 01 문제편+워크북
2일차 (월 일)	[2] Day 02 문제편+워크북
3일차 (월 일)	[2] Day 03 문제편+워크북
4일차 (월 일)	[2] Day 04 문제편+워크북
5일차 (월 일)	[2] Day 05 문제편+워크북
6일차 (월 일)	[2] Day 06 문제편+워크북
7일차 (월 일)	[2] Day 07 문제편+워크북
8일차 (월 일)	[2] Day 08 문제편+워크북
9일차 (월 일)	[2] Day 09 문제편+워크북
10일차 (월 일)	[2] Day 10 문제편+워크북
11일차 (월 일)	[2] Day 11 문제편+워크북
12일차 (월 일)	[2] Day 12 문제편+워크북
13일차 (월 일)	[2] Day 13 문제편+워크북
14일차 (월 일)	[2] Day 14 문제편+워크북
15일차 (월 일)	[2] Day 15 문제편+워크북
16일차 (월 일)	[2] Day 16 문제편+워크북
17일차 (월 일)	[2] Day 17 문제편+워크북
18일차 (월 일)	[2] Day 18 문제편+워크북
19일차 (월 일)	[2] Day 19 문제편+워크북
20일차 (월 일)	[2] Day 20 문제편+워크북

상위권을 위한 학습 플랜

공부한 날(월/일)	[학습 지문 수] 학습 내용
1일차 (월 일)	[4] Day 01~02 문제편+워크북
2일차 (월 일)	[4] Day 03~04 문제편+워크북
3일차 (월 일)	[4] Day 05~06 문제편+워크북
4일차 (월 일)	[4] Day 07~08 문제편+워크북
5일차 (월 일)	[4] Day 09~10 문제편+워크북
6일차 (월 일)	[4] Day 11~12 문제편+워크북
7일차 (월 일)	[4] Day 13~14 문제편+워크북
8일차 (월 일)	[4] Day 15~16 문제편+워크북
9일차 (월 일)	[4] Day 17~18 문제편+워크북
10일차 (월 일)	[4] Day 19~20 문제편+워크북

Chapter
1

Music 음악
★
Art 미술

▷▶ 다음 단어의 뜻을 추측해 보고, 알고 있는 단어에 ✔표시를 하시오.

☐ gender

☐ composer

☐ tear apart

☐ sculpture

☐ metal

☐ exhibit

☐ portrait

☐ Greek

☐ laugh at

🎧 01-01

BTS의 Love Myself

In 2018, BTS, Korean music group, made a great speech in the UN General Assembly in New York. Their message was based on their own music ⓐ<u>called</u> "Love Myself." RM, one of the group members, ⓑ<u>talking</u> about his journey to self-realization. "I used to tune myself into others," he said. "Soon, I began to shut out my own voice and ⓒ<u>listen</u> to the voice of others. No one called out my name and neither ⓓ<u>did</u> I." However, he emphasized the importance of not giving up on himself through social pressure. "We have learned to love ⓔ<u>ourselves</u>, so now I urge you to *speak yourself*," he said. To the end of the speech, he added, "No matter who you are, where you are from, what your skin color or gender identity is, just find your voice." Since his voice was on air, teenagers around the world have been impressed and supported by ㉠<u>his message</u>.

*UN General Assembly UN 총회

제대로 독해법

어휘 Level Up

단어에 알맞은 우리말 뜻을 골라 그 기호를 빈칸에 쓰시오.
(뜻이 같은 단어에 한하여 중복 답 가능)

1 journey …………
2 self-realization …………
3 tune …………
4 call out …………
5 emphasize …………
6 importance …………
7 social …………
8 pressure …………
9 urge …………
10 gender …………
11 identity …………
12 impress …………
13 support …………

ⓐ ~을 불러주다   ⓑ 강조하다
ⓒ 성, 성별   ⓓ 정체성   ⓔ 중요성
ⓕ 감명을 주다   ⓖ 여정, 여행
ⓗ 압력, 압박   ⓘ 자아실현
ⓙ 사회적인   ⓚ 지지하다
ⓛ 맞추다   ⓜ 강력히 촉구하다

1 밑줄 친 ⓐ ~ ⓔ 중에서 어법상 틀린 것은?

① ⓐ   ② ⓑ   ③ ⓒ   ④ ⓓ   ⑤ ⓔ

2 What is the purpose of BTS's speech?

① to encourage

② to criticize

③ to complain

④ to explain

⑤ to advertise

3 밑줄 친 ㉠his message가 의미하는 것을 본문에서 찾아 영어로 쓰시오. (2단어 또는 3단어)

_____

내신 Level Up

다음 영영풀이가 뜻하는 단어를 본문에서 찾아 쓰시오.

_____ : to show that something is very important or worth giving attention to

---

구문 Level Up

7~8행 No one called out my name and **neither did I**.

▶ 「neither + (조)동사 + 주어」는 '~도 역시 그렇다'의 뜻으로 부정문에 동의하는 표현이다. 「so + (조)동사 + 주어」는 긍정문에 동의하는 같은 뜻의 표현이므로 함께 알아두자.

[확인 문제] 괄호 안에서 알맞은 것을 고르시오.

1. A: I am so hungry.
  B: So (am / do) I.

  A: 나는 정말 배고파.
  B: 나도 그래.

2. A: I don't like dancing.
  B: Neither (do / does) we.

  A: 나는 춤추는 것을 좋아하지 않아.
  B: 우리도 그래.

■ 나의 독해 점검표 ■

Step ❶	채점 결과 정리
1. 어법성 판단	O / X
2. 목적 추론	O / X
3. 서술형	O / X

Step ❷ | 독해력 점검

☐ 지문의 내용을 충분히 이해함

☐ 지문의 내용을 대체로 이해함

☐ 지문의 내용을 이해하지 못함

Step ❸ | 문제 해결력 점검

☐ 정답과 오답의 근거를 모두 찾음

☐ 정답과 오답의 근거를 대체로 찾음

☐ 정답과 오답의 근거를 찾지 못함

• 나의 약점 유형은? _____

01-02

베토벤과 나폴레옹

Beethoven, a music composer, liked liberty and welcomed the new wave of change in Europe.

(A) Beethoven angrily shouted, "ⓐHe is a hero no more! Now he thinks himself higher than all men!" Grabbing up a pen, Beethoven walked over to the score and scratched out the title so violently that ⓑhe tore apart the paper.

(B) Not long after putting the final touches to his music, somebody came to ⓒhim with ㉠news that Napoleon had declared himself the Emperor of France and thrown away the value of equality.

(C) ⓓHe admired Napoleon Bonaparte as an icon of the French Revolution, the movement to better society. He decided to compose music for him. As soon as the score was finished, he wrote 'for Bonaparte' on the cover and left it on a table so that all ⓔhis friends could see.

*equality 평등

지칭 추론

1 밑줄 친 ⓐ~ⓔ 중에서 가리키는 대상이 나머지 넷과 <u>다른</u> 것은?

① ⓐ   ② ⓑ   ③ ⓒ   ④ ⓓ   ⑤ ⓔ

 순서 파악

2 What is the right order to read?

① (A) — (C) — (B)   ② (B) — (A) — (C)

③ (B) — (C) — (A)   ④ (C) — (A) — (B)

⑤ (C) — (B) — (A)

서술형

3 이 글의 내용과 일치하도록 주어진 단어들을 배열하여 문장을 완성하시오.

> angry / admired him, / but when he declared himself /
> the Emperor, / Beethoven was / at the action

When Napoleon was a hero of French Revolution, Beethoven
_____ .

내신 Level Up

밑줄 친 ㉠news에 해당하는 내용을 본문에서 찾아 우리말로 쓰시오.

_____

_____

구문 Level Up

(A)의 2~4행 Grabbing up a pen, Beethoven walked over to the score and scratched out the title so violently that he tore apart the paper.

▶ Grabbing up a pen은 부대상황을 나타내는 분사구문으로 '~하면서'의 뜻을 가진다. (→ As he grabbed up a pen, ~.)

[확인 문제] 분사구문을 사용하여 다음 문장을 완성하시오.

> As he smiled brightly, he held out his hand.
> → _____ ,
>   he held out his hand.

밝게 미소를 지으며, 그는 손을 내밀었다.

■ 나의 독해 점검표 ■

Step ❶ | 채점 결과 정리

1. 지칭 추론	O / X
2. 순서 파악	O / X
3. 서술형	O / X

• 나의 약점 유형은? _____

Step ❷ | 독해력 점검

☐ 지문의 내용을 충분히 이해함

☐ 지문의 내용을 대체로 이해함

☐ 지문의 내용을 이해하지 못함

Step ❸ | 문제 해결력 점검

☐ 정답과 오답의 근거를 모두 찾음

☐ 정답과 오답의 근거를 대체로 찾음

☐ 정답과 오답의 근거를 찾지 못함

02-01

아프리카 예술을 만난 유럽 예술

African art is known for its sculptures. African sculptures include figures of people, animals, and many objects. Many ancient African sculptures were made (A) of / from wood. Unfortunately, few of these sculptures exist. Sculptures made of metal and clay have lasted longer. The oldest African sculptures that still exist were made about 2,000 years ago. African sculptures were largely unknown outside Africa. However, at the start of the 20th century, artists, like Picasso and Modigliani, became aware of African art. African art showed the power of (B) organizing / organized forms. European artists no longer tried to make their art look like what they saw in real life. They wanted to use the same shapes and forms that African artists (C) had / have used.

African wooden mask

Amedeo Modigliani,
Girl in a Sailor's Blouse

제대로 독해법

어휘 Level Up

단어에 알맞은 우리말 뜻을 골라 그 기호를 빈칸에 쓰시오.
(뜻이 같은 단어에 한하여 중복 답 가능)

1	sculpture	…………
2	include	…………
3	figure	…………
4	object	…………
5	ancient	…………
6	unfortunately	…………
7	exist	…………
8	metal	…………
9	last	…………
10	still	…………
11	largely	…………
12	outside	…………
13	organize	…………
14	form	…………
15	real life	…………
16	shape	…………

ⓐ 고대의 ⓑ 구조화[체계화]하다
ⓒ 아직 ⓓ 존재하다, 있다
ⓔ 모양, 형태 ⓕ 형태, 방식
ⓖ 포함하다 ⓗ 크게
ⓘ 오래가다, 지속되다 ⓙ 금속
ⓚ 물체, 사물 ⓛ ~의 외부에, 밖에
ⓜ 실생활 ⓝ 조각(품)
ⓞ 불행하게도

1 (A), (B), (C)의 각 네모 안에서 어법에 맞는 표현으로 가장 적절한 것은?

(A)	(B)	(C)
① of	---- organizing	---- had
② of	---- organized	---- have
③ of	---- organized	---- had
④ from	---- organizing	---- have
⑤ from	---- organized	---- had

2 What is the best title for this passage?

① The Artists of Africa

② The Unknown World: Africa

③ The Influence of African Art

④ The Oldest African Sculptures

⑤ The Most Famous Artist: Pablo Picasso

3 이 글의 내용과 일치하도록 빈칸에 알맞은 말을 주어진 단어들 중에서 골라 쓰시오.

> same   influence   famous   African

African art, especially African sculpture, is very (1) _____. It has its own style. African sculpture became a powerful (2) _____ among European artists. Some of them wanted to use the (3) _____ shapes and forms as African artists did.

내신 Level Up

고대의 아프리카 조각이 많이 남아 있지 않은 이유를 본문에서 찾아 10자 내외의 우리말로 쓰시오.

_____

구문 Level Up

6~7행 *The oldest African sculptures* **that still exist** were made about 2,000 years ago.

▶ 주격 관계대명사 that이 이끄는 관계대명사절(that still exist)이 선행사 The oldest African sculptures를 수식하는 「선행사 + 주격 관계대명사 + (관계사절의) 동사 ~」 형태의 문장이다.

[확인 문제] 괄호 안에서 알맞은 것을 고르시오.

1. People who (take / takes) care of their health are wise.

자신들의 건강을 돌보는 사람들은 현명하다.

2. The girl who (is / are) standing there is Tiffany.

저기 서 있는 그 소녀는 티파니다.

■ 나의 독해 점검표 ■

Step ❶ | 채점 결과 정리

1. 어법성 판단	○ / ×
2. 제목 추론	○ / ×
3. 서술형	○ / ×

• 나의 약점 유형은? _____

→

Step ❷ | 독해력 점검

□ 지문의 내용을 충분히 이해함

□ 지문의 내용을 대체로 이해함

□ 지문의 내용을 이해하지 못함

→

Step ❸ | 문제 해결력 점검

□ 정답과 오답의 근거를 모두 찾음

□ 정답과 오답의 근거를 대체로 찾음

□ 정답과 오답의 근거를 찾지 못함

인상파 화가, 클로드 모네

🎧 02-02

Claude Monet is one of the most famous impressionists, who captured the image of an object as it was perceived. In fact, the term "impressionist" was first made after Monet exhibited his famous *Impression, Sunrise* painting. Today, impressionist art is so popular that fans pay millions of dollars, for it. However, ⓐ<u>such</u> was not the case in the mid-1800s. Back then, artists painted only portraits of models dressed as Greek gods or historical people. Unlike those artists, Monet kept painting everyday things like ordinary people or beautiful nature. So, impressionists, like Monet who _____, were laughed at by the critics at that time. As time went on, things have changed. Now Claude Monet is considered one of the most influential artists and his paintings are sold at high prices.

제대로 독해법

어휘 Level Up

단어에 알맞은 우리말 뜻을 골라 그 기호를 빈칸에 쓰시오.
(뜻이 같은 단어에 한하여 중복 답 가능)

1 impressionist ....
2 capture ....
3 perceive ....
4 term ....
5 exhibit ....
6 impression ....
7 sunrise ....
8 portrait ....
9 Greek ....
10 historical ....
11 unlike ....
12 ordinary ....
13 laugh at ....
14 critic ....
15 consider ....
16 influential ....

ⓐ ~을 …으로 여기다 ⓑ 비평가
ⓒ 전시하다 ⓓ 그리스의; 그리스인
ⓔ 역사적인 ⓕ 인상 ⓖ 인상파 화가
ⓗ 영향력 있는 ⓘ ~을 비웃다, 조롱하다
ⓙ 포착하다, 담아내다 ⓚ 보통의
ⓛ 초상화 ⓜ 해돋이, 일출 ⓝ 용어
ⓞ ~와는 달리 ⓟ 인지하다

Claude Monet, *Impression, Sunrise*, 1873

1 이 글의 내용과 일치하지 <u>않는</u> 것은?

① 인상파 화가들은 인식되는 그대로의 이미지를 반영했다.

② 1800년대 중반 화가들은 역사적인 인물들의 초상화를 그렸다.

③ Claude Monet는 그리스 신이나 아름다운 자연을 그렸다.

④ 인상파 화가들은 한때 비평가들의 조롱을 당했다.

⑤ 오늘날 Monet는 영향력 있는 화가로 인정받고 있다.

2 What is the best choice for the blank?

① were not unique at all

② tried a different art style

③ practiced painting every day

④ often changed his painting style

⑤ followed the tradition of that time

3 1800년대 중반의 그림과 모네 그림의 특징을 본문에서 찾아 우리말로 쓰시오.

(1) 1800년대 중반 그림의 특징:

_____

(2) 모네 그림의 특징:

_____

내신 Level Up

밑줄 친 ㉠such가 의미하는 것을 본문에서 찾아 우리말로 쓰시오.

_____

_____

구문 Level Up

[4~6행] Today, impressionist art is so *popular* that *fans pay* millions of dollars for it.

▶ 「so+형용사[부사]+that+주어+동사」는 '매우 ~해서 …하다'라는 의미를 가진다. 형용사 뒤에 명사가 있는 경우에는 such를 써서 「such+(a/an)+형용사+명사+that+주어+동사」의 구조로 나타낼 수 있다

[확인 문제] 다음 우리말과 뜻이 같도록 주어진 단어들을 사용하여 문장을 완성하시오.

> 날씨가 매우 좋아서 나는 공원에 산책을 갔다. (nice, went for a walk)

→ The weather was _____

_____ to the park.

■ 나의 독해 점검표 ■

Step ❶ | 채점 결과 정리

1. 내용 일치	O / X
2. 빈칸 추론	O / X
3. 서술형	O / X

• 나의 약점 유형은? _____

→

Step ❷ | 독해력 점검

□ 지문의 내용을 충분히 이해함

□ 지문의 내용을 대체로 이해함

□ 지문의 내용을 이해하지 못함

→

Step ❸ | 문제 해결력 점검

□ 정답과 오답의 근거를 모두 찾음

□ 정답과 오답의 근거를 대체로 찾음

□ 정답과 오답의 근거를 찾지 못함

A 사진을 보고, 빈칸에 알맞은 단어를 골라 쓰시오.

| composer | exhibited | laughed at | portraits | sculptures | tore apart |

1 Beethoven, a music _____, liked liberty.

2 He _____ the paper.

3 African art is known for its _____.

4 Monet _____ his famous *Impression, Sunrise* painting.

5 Artists painted only _____.

6 Impressionists were _____ by the critics.

B 다음 각 단어에 해당하는 의미를 짝지으시오.

1 urge •

• ⓐ to produce music

2 compose •

• ⓑ someone whose job is to give their opinions about something

3 critic •

• ⓒ to strongly advise or try to persuade someone to do a particular thing

Artworks 예술 작품 / Impressionism 인상주의

쉬어 가기

Claude Monet, *Water Lilies, Evening Effect*, 1897 - 1899
클로드 모네 〈수련〉

모네의 〈수련〉 연작은 미술사에서 중요한 의미를 갖는데, 모네가 이 연작들을 만들면서 그의 인상주의 논리를 완성시켜 나갔기 때문입니다. 모네는 지베르니(Giverny)에 있는 집 정원 연못에 있는 수련을 그렸는데, 빛과 인상, 이미지에 대한 그의 이론을 단일한 소재를 가지고 작품으로 표현하였습니다.

Pierre-Auguste Renoir, *Dance at Moulin de la Galette*, 1876
피에르 오귀스트 르누아르 〈물랭 드 라 갈레트의 무도회〉

1877년 인상주의 전시회에 전시된 〈물랭 드 라 갈레트의 무도회〉는 르누아르의 가장 유명한 작품 중 하나입니다. 작품의 주제는 어느 일요일 오후, 파리 시민들이 가장 많이 찾는 몽마르트의 무도회장 '물랭 드 라 갈레트'의 유쾌한 정경입니다.

Edgar Degas, *Dance Class at the Opera*, 1872
에드가르 드가 〈오페라 극장의 무용 연습실〉

〈오페라 극장의 무용 연습실〉에는 발레 강사인 루이 프랑수아 메랑트와 심사를 받고 있는 열 명의 발레리나들이 등장하는데, 화면 오른편에는 흰 옷을 입고 서 있는 메랑트가 안무를 지시하고 있고, 한 발레리나가 심사를 받고 있는 동안 다른 발레리나들은 개인 연습을 하면서 심사 과정을 지켜보고 있는 장면입니다.

Chapter

2

Culture 문화

▷ ▶ 다음 단어의 뜻을 추측해 보고, 알고 있는 단어에 ✔표시를 하시오.

☐ military

☐ protest

☐ precious

☐ married

☐ gather

☐ legal

☐ India

☐ permission

☐ vote

사우디아라비아 국기와 축구공

03-01

When the US military were staying in Afghanistan, an Islamic country, they wanted to please the poor children. So they came up with the idea to give soccer balls to Afghanistan children to enjoy sports. They hoped for the peace of the world, so they printed the world's national flags on the ball. They had thought of it as a good idea until they dropped them from helicopters to the ground. However, people all over the nation protested against their charity soon after. Why? The answer lies in the Saudi Arabian flag on the ball. The flag contains the name of Allah, and Muslims are very sensitive about where and how it can be used in their daily life. The problem was that _____ would be a great insult to any Muslim. They couldn't bear the precious name to be handled by feet. The US military had good intentions, but they didn't expect such an unfortunate mistake.

*Islamic 이슬람교의   **Muslim 이슬람교도

제대로 독해법

어휘 Level Up

단어에 알맞은 우리말 뜻을 골라 그 기호를 빈칸에 쓰시오.
(뜻이 같은 단어에 한하여 중복 답 가능)

1 military   ....
2 please   ....
3 poor   ....
4 come up with ....
5 protest   ....
6 charity   ....
7 contain   ....
8 sensitive   ....
9 problem   ....
10 insult   ....
11 bear   ....
12 precious   ....
13 intention   ....
14 expect   ....
15 unfortunate   ....

ⓐ 참다, 견디다 ⓑ 자선 (행위)
ⓒ ~을 생각해내다 ⓓ 포함하다
ⓔ 예상[기대]하다 ⓕ 모욕 ⓖ 군대
ⓗ (남을) 기쁘게 하다 ⓘ 가난한
ⓙ 소중한 ⓚ 문제 ⓛ 항의하다
ⓜ 의도 ⓝ 민감한 ⓞ 운이 없는

1 이 글의 내용을 요약할 때 빈칸 (A), (B)에 들어갈 말로 가장 적절한 것은?

The US military had an intention to _____(A)_____ the Afghanistan kids by giving out soccer balls with the world's national flags. However, it ended up insulting the people in Afghanistan because they _____(B)_____ the important part of their culture.

      (A)   (B)
① delight ---- ignored
② scare ---- interrupted
③ delight ---- acknowledged
④ surprise ---- neglected
⑤ surprise ---- changed

2 What is the best choice for the blank?
① dropping the soccer balls from the sky
② printing their flag on the soccer balls
③ kicking the soccer ball with Allah's name
④ pleasing the children with the soccer balls
⑤ spreading the soccer balls around the nation

3 이슬람교를 믿는 나라에서 조심해야 할 행동을 본문에서 한 가지 찾아 우리말로 쓰시오.

_____

■ 나의 독해 점검표 ■

Step ❶ | 채점 결과 정리

1. 요약문 완성	○ / ✕
2. 빈칸 추론	○ / ✕
3. 서술형	○ / ✕

• 나의 약점 유형은? _____

Step ❷ | 독해력 점검
☐ 지문의 내용을 충분히 이해함
☐ 지문의 내용을 대체로 이해함
☐ 지문의 내용을 이해하지 못함

Step ❸ | 문제 해결력 점검
☐ 정답과 오답의 근거를 모두 찾음
☐ 정답과 오답의 근거를 대체로 찾음
☐ 정답과 오답의 근거를 찾지 못함

03-02

음주 운전을 하면 벌 받아요!

Drinking and driving is illegal. If you cause an accident while driving drunk, you will be punished by society. For example, in France, drinking and driving is punished by a 1,000 dollar fine and imprisonment for a year. Besides, you must stop driving for three years. How about in Finland? Drunk drivers are put in prison with hard labor for a year. Do you think that this is too much for drinking and driving? Then you will be surprised to hear this. If you drive drunk in South Africa, you will have to stay in jail for 10 years with a 1,000 dollar fine. In Malaysia, when one of a married couple is caught drunk driving, both husband and wife have to go to prison. In your country, what happens ㉠당신이 음주 운전으로 체포가 된다면?

*drinking and driving 음주 운전   **imprisonment 투옥, 수감

제대로 독해법

어휘 Level Up

단어에 알맞은 우리말 뜻을 골라 그 기호를 빈칸에 쓰시오.
(뜻이 같은 단어에 한하여 중복 답 가능)

1 illegal   ....
2 cause   ....
3 drunk   ....
4 punish   ....
5 society   ....
6 fine   ....
7 besides   ....
8 prison   ....
9 labor   ....
10 surprised   ....
11 stay   ....
12 jail   ....
13 married   ....
14 catch   ....
   (catch - caught - caught)

ⓐ 게다가   ⓑ 잡다
ⓒ ~을 야기하다[일으키다]
ⓓ 술이 취한   ⓔ 벌금; 멋진
ⓕ 불법적인   ⓖ 감옥, 교도소
ⓗ 노동   ⓘ 결혼을 한
ⓙ 처벌하다, 벌주다   ⓚ 사회
ⓛ 머무르다   ⓜ 놀란, 놀라는

내용 일치

1 이 글의 내용과 일치하지 <u>않는</u> 것은?

① 음주 운전은 불법이며 처벌을 받는다.

② 프랑스에서 음주 운전을 하면 벌금을 내고 감옥에 가야 한다.

③ 핀란드에서 음주 운전을 하면 감옥 대신 노동으로 처벌 받는다.

④ 음주 운전을 했을 경우 10년 간 감옥에 가야 하는 나라도 있다.

⑤ 부부 중 한 명이 음주 운전을 하면, 부부가 함께 감옥에 가는 나라도 있다.

제목 추론

2 What is the best title for this passage?

① Why Not Drink While You Drive?

② How Much Is the Speeding Fine?

③ Moral Dilemma About Drinking and Driving

④ Different Punishments for Drinking and Driving

⑤ Drinking Habit Differs from Country to Country

서술형

3 밑줄 친 ㉠의 우리말에 맞게 주어진 단어들을 배열하시오.

> you / if / drinking and driving / arrested / for / are

㉠ 당신이 음주 운전으로 체포가 된다면

→ _____

내신 Level Up

다음 영영풀이가 뜻하는 단어를 본문에서 찾아 쓰시오.

_____ : an amount of money that has to be paid as a punishment for not obeying a rule or law

구문 Level Up

7~8행 Then you will be surprised **to hear** this.

▶ '감정의 원인'을 나타내는 to부정사(to hear)는 감정을 나타내는 형용사(surprised)나 동사 뒤에 나오고 '~해서'의 의미를 가진다. (감정을 나타내는 형용사: happy, pleased, glad, sad, surprised, relieved 등)

[확인 문제] 다음 밑줄 친 부분의 우리말 뜻을 쓰시오.

1. I am very pleased <u>to see you again</u>.
→ _____

2. I am so sad <u>to have to leave you</u>.
→ _____

■ 나의 독해 점검표 ■

Step ❶ | 채점 결과 정리

1. 내용 일치	○ / ×
2. 제목 추론	○ / ×
3. 서술형	○ / ×

• 나의 약점 유형은? _____

 Step ❷ | 독해력 점검

□ 지문의 내용을 충분히 이해함
□ 지문의 내용을 대체로 이해함
□ 지문의 내용을 이해하지 못함

 Step ❸ | 문제 해결력 점검

□ 정답과 오답의 근거를 모두 찾음
□ 정답과 오답의 근거를 대체로 찾음
□ 정답과 오답의 근거를 찾지 못함

04-01

Times Square Ball

On New Year's Eve, there are special fireworks shows to signal the start of the New Year. ⓐThe most popular one of all is New York City's Times Square New Year's Eve Ball Drop. ⓑThe Times Square Ball is a giant ball that has been lowered or dropped from the flagpole of the Times Square Building nearly every New Year's Eve since December 31, 1907. ⓒAlso, access to Times Square is extremely limited during the course of the celebration. ⓓThe ball remains on the flagpole year-round, and is only lowered on New Year's Eve or removed for general maintenance. ⓔStarting every December 31st at 11:59 p.m., the ball (A) descends / ascends 23 meters over the course of a minute, coming to rest at exactly midnight. Fireworks are then set off, and the gathered crowd cheers and celebrates.

제대로 독해법

어휘 Level Up

단어에 알맞은 우리말 뜻을 골라 그 기호를 빈칸에 쓰시오.
(뜻이 같은 단어에 한하여 중복 답 가능)

1 firework ....
2 lower ....
3 flagpole ....
4 access ....
5 extremely ....
6 limit ....
7 celebration ....
8 remain ....
9 year-round ....
10 remove ....
11 general ....
12 maintenance ....
13 descend ....
14 exactly ....
15 gather ....
16 crowd ....

ⓐ 접근   ⓑ 기념행사
ⓒ 사람들, 군중   ⓓ 내려오다
ⓔ 정확히   ⓕ 극도로   ⓖ 불꽃놀이
ⓗ 깃대   ⓘ 모이다   ⓙ 전반적인
ⓚ 제한하다   ⓛ ~을 내리다
ⓜ 보수, 보존, 유지
ⓝ (떠나지 않고) 남다   ⓞ 치우다
ⓟ 연중 계속되는

1 ⓐ ~ ⓔ 중에서 글의 전체 흐름과 관계없는 문장은?

① ⓐ 　② ⓑ 　③ ⓒ 　④ ⓓ 　⑤ ⓔ

2 What is the best title for this passage?

① Fireworks on New Year's Day

② World Famous Fireworks Shows

③ How to Signal the Start of the New Year

④ The Popularity of Times Square New Year's Eve Ball Drop

⑤ Times Square New Year's Eve Ball Drop with Fireworks

3 '타임스스퀘어 12월 31일 볼 드롭' 행사의 목적을 본문에서 찾아 12자 내외의 우리말로 쓰시오.

_____

내신 Level Up

(A)의 네모 안에서 문맥에 맞는 낱말로 적절한 것을 골라 쓰시오.

_____

구문 Level Up

6~8행 Also, access to Times Square is extremely limited **during** *the course of the celebration.*

▶ during은 '~ 동안'이라는 뜻의 전치사로, 같은 뜻을 가진 전치사 for와 구별해서 써야 한다. during은 '기간, 특정한 때'를 나타내는 명사와 함께 쓰이고, for는 '기간의 길이를 나타내는 구체적인 숫자'와 함께 주로 쓰인다. 여기서 the course of the celebration(기념행사 진행)은 특정한 때를 나타내므로 during과 함께 쓰였다.

[확인 문제] 괄호 안에서 알맞은 것을 고르시오.

1. We stayed in Seoul (for / during) three days.

우리는 3일 동안 서울에 머물렀다.

2. We went to Disneyland (for / during) our stay in Tokyo.

우리는 도쿄에 머무는 동안 디즈니랜드에 갔다.

■ 나의 독해 점검표 ■

Step ❶ | 채점 결과 정리

1. 무관한 문장	○ / ✕
2. 제목 추론	○ / ✕
3. 서술형	○ / ✕

• 나의 약점 유형은? _____

 Step ❷ | 독해력 점검

□ 지문의 내용을 충분히 이해함
□ 지문의 내용을 대체로 이해함
□ 지문의 내용을 이해하지 못함

 Step ❸ | 문제 해결력 점검

□ 정답과 오답의 근거를 모두 찾음
□ 정답과 오답의 근거를 대체로 찾음
□ 정답과 오답의 근거를 찾지 못함

04-02

어른이 되려면 …

How do you know that a person is an adult? Does the person's age tell you? Or is an adult a person who takes on responsibility for work and family? One way to define an adult is by age, but countries have very different ideas about the legal age of an adult. In India, a man can't marry without his parents' permission until the age of 21, and a woman can't marry until the age of 18. In comparison, in Brazil, a 16-year-old person can vote, but in most African nations, people don't have this right until they are 21. An adult is a person who can take on important responsibility. An adult respects others and understands that his or her own needs are not always the most important. This is the social definition of an adult.

제대로 독해법

어휘 Level Up

단어에 알맞은 우리말 뜻을 골라 그 기호를 빈칸에 쓰시오.
(뜻이 같은 단어에 한하여 중복 답 가능)

1	person	…………
2	adult	…………
3	age	…………
4	responsibility	…………
5	define	…………
6	legal	…………
7	India	…………
8	permission	…………
9	in comparison	…………
10	vote	…………
11	important	…………
12	respect	…………
13	need	…………
14	social	…………
15	definition	…………

ⓐ 어른, 성인 ⓑ 나이 ⓒ 정의하다
ⓓ 정의 ⓔ 중요한 ⓕ 인도
ⓖ 법률상의 ⓗ 욕구 ⓘ 허락
ⓙ 사람, 개인 ⓚ ~을 존중하다
ⓛ 책임 ⓜ 사회적인 ⓝ 투표하다
ⓞ 비교하여

내용 일치

1 이 글의 내용과 일치하지 <u>않는</u> 것은?

① 인도에서 22세의 남자는 부모의 동의 없이 결혼할 수 있다.

② 인도에서 17세의 여자는 부모의 동의 없이 결혼할 수 있다.

③ 브라질에서 투표가 가능한 나이는 16세이다.

④ 대부분의 아프리카 국가에서 투표가 가능한 나이는 21세이다.

⑤ 부모의 동의 없이 결혼할 수 있는 나이는 나라마다 다르다.

주제 추론

2 What is the main idea of this passage?

① The reason why people get married

② The age at which you can get married

③ The minimum age that a person can vote

④ The way to take responsibility for yourself

⑤ The social definition of an adult

서술형

3 이 글의 내용과 일치하도록 빈칸에 알맞은 말을 주어진 단어들 중에서 골라 쓰시오.

> adult   responsible   think   teenagers

Some countries give (1) _____ the right to have adult responsibilities like marriage and voting, but it is different from country to country. Most people (2) _____ that an adult is a person who can be (3) _____ for what he or she does.

내신 Level Up

어른에 대한 사회적 정의를 본문에서 찾아 우리말로 쓰시오.

_____

_____

_____

구문 Level Up

5~7행 In India, a man can't **marry** without his parents' permission until the age of 21, ~.

▶ marry는 '(~와) 결혼하다'라는 우리말 해석 때문에 전치사가 필요할 것 같지만, 전치사 없이 목적어가 바로 오는 타동사이다. 이와 같은 동사로는 enter (~에 들어가다), attend (~에 참석하다), call (~에게 전화하다), discuss (~에 대해 논의하다), explain (~에 대해 설명하다) 등이 있다.

[확인 문제] 괄호 안에서 알맞은 것을 고르시오.

Kitty and Betty (entered / entered to) the restaurant.

Kitty와 Betty는 레스토랑에 들어갔다.

■ 나의 독해 점검표 ■

Step ❶ | 채점 결과 정리

1. 내용 일치	O / X
2. 주제 추론	O / X
3. 서술형	O / X

• 나의 약점 유형은? _____

→

Step ❷ | 독해력 점검

□ 지문의 내용을 충분히 이해함

□ 지문의 내용을 대체로 이해함

□ 지문의 내용을 이해하지 못함

→

Step ❸ | 문제 해결력 점검

□ 정답과 오답의 근거를 모두 찾음

□ 정답과 오답의 근거를 대체로 찾음

□ 정답과 오답의 근거를 찾지 못함

어휘 테스트

A 사진을 보고, 빈칸에 알맞은 단어를 골라 쓰시오.

> legal   gathered   permission   precious   protested   vote

1 Countries have very different ideas about the _____ age of an adult.

2 A man can't marry without his parents' _____ until the age of 21.

3 In Brazil, a 16-year-old person can _____.

4 The _____ crowd cheers and celebrates.

5 People _____ against their charity.

6 They couldn't bear the _____ name to be handled by feet.

B 다음 각 단어에 해당하는 의미를 짝지으시오.

1 define •

2 stay •

3 please •

• ⓐ to not move away from or leave a place or situation

• ⓑ to say what the meaning of something, especially a word, is

• ⓒ to make someone feel happy or satisfied, or to give someone pleasure

세계의 독특한 도로 교통 표지판

쉬어 가기

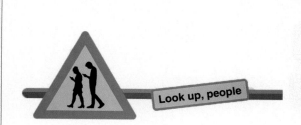

스웨덴, 위험하니 고개를 드세요!

도로 위 돌발적인 위험 상황에 무방비로 노출되는 스마트폰 사용자들의 안전을 위해 스웨덴에서는 2015년 처음 'Look up, people'이라는 도로 교통 표지판을 설치했습니다.

호주, 캥거루가 언제 어디서 나타날지 몰라요!

호주에서는 도심을 조금만 벗어나도 '캥거루 주의 도로 교통 표지판'을 쉽게 볼 수 있습니다. 캥거루뿐만 아니라 많은 동물들이 살고 있는 호주에서는 여러 야생 동물이 그려진 표지판을 목격할 수 있습니다.

핀란드, 이곳에 산타클로스가 출몰합니다!

산타클로스의 고향으로 알려져 있는 핀란드 북부 로바니에미(Rovaniemi)에는 산타 마을이 있는데 선물 보따리를 이고 발걸음을 재촉하는 '산타클로스 출몰 주의 표지판'이 설치되어 있습니다. 교통 법규와 관련된 표지판은 아니지만 핀란드의 특징을 살린 재치 있는 표지판입니다.

Chapter

3

Environment 환경

★

Places 장소

▷▶ 다음 단어의 뜻을 추측해 보고, 알고 있는 단어에 ✔표시를 하시오.

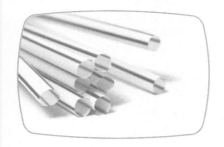

☐ straw

☐ melt

☐ install

☐ global warming

☐ flood

☐ warn

☐ protect

☐ grave

☐ escape

🎧 05-01

먹는 빨대, 쌀 빨대

Plastic straws, which we use conveniently when drinking, are rather @dangerous to some animals. For example, they may accidentally get stuck up a sea turtle's nostril and lead the animal to death. So many restaurants and cafes are determined not to use plastic straws and try to use some ⓑalternative ones such as paper straws that are not harmful to any creatures. However, they are ⓒrarely used in reality, because they are about six times more costly than plastic straws. Meanwhile, some smart people invented a straw that is a little ⓓcheaper than a paper one: a rice straw. This eco-friendly item is made out of rice, but does not easily melt in water. In addition, you can "taste" it after drinking if you want — it tastes like *nurungji*. Still, people are very ⓔeager to use it because a plastic straw is more economical. However, if we consider what matters after all, we should try to use this.

*sea turtle 바다거북 **nostril 콧구멍

제대로 독해법

어휘 Level Up

단어에 알맞은 우리말 뜻을 골라 그 기호를 빈칸에 쓰시오.
(뜻이 같은 단어에 한하여 중복 답 가능)

1 straw ....
2 conveniently ....
3 rather ....
4 accidentally ....
5 determine ....
6 alternative ....
7 harmful ....
8 creature ....
9 rarely ....
10 costly ....
11 meanwhile ....
12 melt ....
13 taste ....
14 economical ....
15 consider ....
16 matter ....

ⓐ 우연히 ⓑ 대안이 되는
ⓒ 고려하다 ⓓ 편리하게
ⓔ 값비싼, 비용이 많이 드는
ⓕ 생물 ⓖ 결정하다 ⓗ 경제적인
ⓘ 해로운 ⓙ 중요하다; 문제
ⓚ 한편 ⓛ 녹다, 녹이다
ⓜ 거의 ~않는 ⓝ 오히려
ⓞ 빨대 ⓟ 맛보다, 맛이 나다; 맛

1 이 글의 목적으로 가장 적절한 것은?

① 쌀 빨대의 사용을 권장하려고

② 플라스틱 빨대의 나쁜 점을 알리려고

③ 환경오염의 심각성을 경고하려고

④ 바다거북 보호를 주장하려고

⑤ 여러 종류의 빨대 생산 가격을 비교하려고

종이 빨대가 실제로 거의 사용되지 않는 이유를 본문에서 찾아 우리말로 쓰시오.

_____

2 Which is NOT a suitable word in ⓐ ~ ⓔ?

① ⓐ   ② ⓑ   ③ ⓒ   ④ ⓓ   ⑤ ⓔ

구문 **Level Up**

7~8행 However, they are rarely used in reality, because they are about **six times more costly than** plastic straws.

▶ 「배수사 + 비교급 + than」은 '~배로 …한[하게]'의 뜻이다. 「배수사 + as + 원급 + as」로 바꿔 쓸 수 있다.

[확인 문제] 우리말과 뜻이 같도록 주어진 단어들을 배열하여 문장을 완성하시오.

3 다음 표의 빈칸에 알맞은 말을 본문에서 찾아 쓰시오.

	plastic straws	rice straws
advantages	cheap, convenient to use	(1) _____
disadvantages	(2) _____	more costly

1. 지구는 달보다 80배 더 무겁다.
(heavier, times, eighty, than, the moon)
→ The Earth is _____
_____.

2. 그 빌딩은 나의 학교보다 세 배 더 높다.
(higher, times, my school, than, three)
→ The building is _____
_____.

■ 나의 독해 점검표 ■

Step ❶ | 채점 결과 정리

1. 목적 추론	○ / X
2. 어휘 파악	○ / X
3. 서술형	○ / X

• 나의 약점 유형은? _____

→

Step ❷ | 독해력 점검

 지문의 내용을 충분히 이해함

☐ 지문의 내용을 대체로 이해함

☐ 지문의 내용을 이해하지 못함

→

Step ❸ | 문제 해결력 점검

 정답과 오답의 근거를 모두 찾음

☐ 정답과 오답의 근거를 대체로 찾음

☐ 정답과 오답의 근거를 찾지 못함

호수 위, 지붕 위에 설치하는 태양광 패널

05-02

The use of solar panels is increasing more and more due to the rising energy demand. Some people are worrying that ⓐthey may damage the ecosystem if the panels are installed on mountains. That is, it may cause many trees to be cut down, which puts wildlife in danger. Moreover, the temperature around ⓑthem may go higher than before, worsening the global warming effect. (A) The soil under them might even roll downward after heavy rainfall. (B) So some scientists are trying to find alternative places to set ⓒthem up. (C) For example, ⓓthey can float on lakes, lay on the factory roofs, or hang on the noise barriers along the highway. (D) Highway noise is a serious environmental problem in city areas. (E) These solutions are more eco-friendly, because we do not need to remove the trees or will not cast a shadow with ⓔthem.

*solar panel 태양광 패널 **noise barrier 방음벽

1 밑줄 친 ⓐ~ⓔ 중에서 가리키는 대상이 나머지 넷과 <u>다른</u> 것은?

① ⓐ   ② ⓑ   ③ ⓒ   ④ ⓓ   ⑤ ⓔ

2 What is the unrelated sentence in (A) ~ (E) according to this passage?

① (A)   ② (B)   ③ (C)   ④ (D)   ⑤ (E)

3 태양광 패널이 산에 설치되었을 때 발생할 수 있는 세 가지 문제점을 본문에서 찾아 우리말로 쓰시오.

(1) _____

(2) _____

(3) _____

내신 Level Up

호수 위나 공장 지붕 위에 태양광 패널을 설치하는 것이 친환경적인 이유를 본문에서 찾아 우리말로 쓰시오.

_____

_____

구문 Level Up

4~5행 That is, it may cause many trees to be cut down, **which** puts wildlife in danger.

▶ 관계사 앞에 콤마(,)가 있고, 관계사절이 선행사를 보충 설명하는 것을 관계사의 계속적 용법이라고 한다. 콤마(,) 다음의 관계대명사는 「접속사+대명사」로 바꿔 쓸 수 있다. (~, which puts wildlife ~ = ~, and it puts wildlife ~)

[확인 문제] 다음과 같이 바꿔 쓸 때 빈칸에 알맞은 말을 쓰시오.

> We had been waiting for the princess, who didn't show up.
> → We had been waiting for the princess, _____ _____ didn't show up.

우리는 공주를 기다리고 있었지만, 그녀는 나타나지 않았다.

■ 나의 독해 점검표 ■

Step ❶ | 채점 결과 정리

1. 지칭 추론	○ / ✕
2. 무관한 문장	○ / ✕
3. 서술형	○ / ✕

• 나의 약점 유형은? _____

→

Step ❷ | 독해력 점검

☐ 지문의 내용을 충분히 이해함
☐ 지문의 내용을 대체로 이해함
☐ 지문의 내용을 이해하지 못함

→

Step ❸ | 문제 해결력 점검

☐ 정답과 오답의 근거를 모두 찾음
☐ 정답과 오답의 근거를 대체로 찾음
☐ 정답과 오답의 근거를 찾지 못함

06-01

베니스를 구하라!

Have you heard of Venice? It is an attractive city in Italy. It is called the "City of Water" because it is built on water. Many tourists have visited to see beautiful water scenery and ⓐto take a fun gondola ride there. Sad to say, there is a serious problem with this city. Every year it sinks a few centimeters. This is because of frequent floods. The increase in flooding is due to global warming, ⓑwhich causes higher sea levels. A recent climate change study has warned that Venice will be under water by 2100. Eventually, the city will ⓒcompletely disappear. The Italian government, scientists, and architects have been doing their best to find a solution. In 2003, the MOSE project ⓓlaunched to protect Venice from the floods. If they can't ㉠stop Venice from ⓔsinking, we will lose this unique and beautiful city.

*gondola 베니스에서 운하를 오가는 배(곤돌라)

제대로 독해법

어휘 Level Up

단어에 알맞은 우리말 뜻을 골라 그 기호를 빈칸에 쓰시오.
(뜻이 같은 단어에 한하여 중복 답 가능)

1 attractive ....
2 scenery ....
3 serious ....
4 sink ....
5 frequent ....
6 flood ....
7 increase ....
8 climate ....
9 warn ....
10 eventually ....
11 completely ....
12 disappear ....
13 government ....
14 architect ....
15 launch ....
16 protect ....
17 unique ....

ⓐ 건축가 ⓑ 매력적인 ⓒ 기후
ⓓ 완전히 ⓔ 사라지다 ⓕ 결국
ⓖ 홍수 ⓗ 잦은, 빈번한 ⓘ 정부
ⓙ 증가; 증가하다 ⓚ 시작하다, 착수하다
ⓛ 심각한 ⓜ 보호하다 ⓝ 가라앉다
ⓞ 풍경 ⓟ 독특한 ⓠ 경고하다

1 밑줄 친 ⓐ ~ ⓔ 중에서 어법상 틀린 것은?

① ⓐ   ② ⓑ   ③ ⓒ   ④ ⓓ   ⑤ ⓔ

2 What is the best title for this passage?

① Venice, A City of Water Sports
② Venice Is Going Under Water!
③ How to Prevent Floods in Venice
④ A City of Water: A Tourist Attraction
⑤ Importance of Stopping Global Warming

3 이 글의 내용을 요약할 때 빈칸에 들어갈 말로 가장 적절한 것을 주어진 단어들 중에서 골라 쓰시오. (필요시 형태 변화 가능)

> break pollute rise sink save sell shake tour

Unfortunately, Venice, a famous city, is (1) _____ and people are trying to (2) _____ it.

▶해설편 p.11

내신 Level Up

밑줄 친 ㉠stop과 바꿔 쓸 수 <u>없는</u> 것은?

① keep
② force
③ prevent
④ prohibit
⑤ discourage

구문 Level Up

[10~11행] The Italian government, scientists, and architects have been doing their best **to find** a solution.

▶ to find는 '찾기 위해서'라는 뜻으로 to부정사의 '목적'의 의미를 나타내는 부사적 용법으로 쓰였다. 이 경우, 목적의 뜻(~하기 위해서)을 분명히 하기 위해서 to부정사 앞에 in order, so as를 쓰기도 한다.

> to + 동사원형(목적: ~하기 위해서)
> → in order to + 동사원형
> → so as to + 동사원형
> → so that + 주어 + can[could] + 동사원형

[확인 문제] 우리말과 뜻이 같도록 주어진 단어들을 배열하여 문장을 완성하시오.

> 그는 프로 골프 선수가 되기 위해 열심히 연습한다. (golfer / become / a / to / professional)

→ He practices hard _____

_____.

■ 나의 독해 점검표 ■

Step ❶ | 채점 결과 정리 →

1. 어법성 판단	O / X
2. 제목 추론	O / X
3. 서술형	O / X

• 나의 약점 유형은? _____

Step ❷ | 독해력 점검 →

□ 지문의 내용을 충분히 이해함
□ 지문의 내용을 대체로 이해함
□ 지문의 내용을 이해하지 못함

Step ❸ | 문제 해결력 점검

□ 정답과 오답의 근거를 모두 찾음
□ 정답과 오답의 근거를 대체로 찾음
□ 정답과 오답의 근거를 찾지 못함

06-02

데스밸리, 진짜 죽음의 지역인가?

Death Valley is one of the hottest and driest places in the United States. It is said to have been named by a group of travelers lost here in the 19th century. Because of its desert-like landscape and high temperature, ㉠they thought that this valley would be their grave, but thankfully most of them survived. It is said that when they were rescued, one of the men said "goodbye, death valley," which became its name. Then, is it really a place to sweat to death? The answer is *yes*. In the middle of the desert, the hot air cannot escape, trapped in sand and rocks. It rises along the valley walls, cools slightly and then lowers back to the valley floor to be heated more by the hot sand. This makes this place hotter and drier than any other area in the United States, and only about 900 creatures can survive in Death Valley.

제대로 독해법

어휘 Level Up

단어에 알맞은 우리말 뜻을 골라 그 기호를 빈칸에 쓰시오.
(뜻이 같은 단어에 한하여 중복 답 가능)

1 valley   ....
2 landscape   ....
3 temperature   ....
4 grave   ....
5 thankfully   ....
6 survive   ....
7 rescue   ....
8 escape   ....
9 trap   ....
10 slightly   ....
11 lower   ....
12 creature   ....

ⓐ 생물   ⓑ 탈출하다   ⓒ 무덤
ⓓ 지형, 풍경   ⓔ 내려가다, 내리다
ⓕ 구조하다   ⓖ 약간   ⓗ 살아남다
ⓘ 온도, 기온   ⓙ 다행스럽게도
ⓚ 가두다   ⓛ 계곡, 골짜기

1 Death Valley에 관한 글의 내용과 일치하지 <u>않는</u> 것은?

① 미국에 있는 뜨겁고 건조한 장소이다.

② 사막 같은 지형으로 이루어져 있다.

③ 길을 잃었다 구조된 여행객 중 한 명이 이름을 붙였다.

④ 땀을 많이 흘려 죽을 수도 있는 장소이다.

⑤ 900여종의 생명체가 멸종된 곳이다.

내신 Level Up

다음 영영풀이가 뜻하는 단어를 본문에서 찾아 쓰시오.

_____ : to save someone or something from a dangerous, harmful, or difficult situation

2 What does the underlined ㉠ mean?

① They hoped that they would be buried there after death.

② They feared that they were going to die there.

③ They believed that they could be found easily.

④ They realized that it was a good place to live.

⑤ They supposed that they were the first comers there.

구문 Level Up

첫번째문장 Death Valley is **one of the hottest and driest places** in the United States.

▶「one of the 최상급+복수명사」는 '가장 ~한 것들 중의 하나'라는 뜻을 가진다. one of는 '~ 중에서 하나'라는 의미로 여러 가지 중에서 하나를 뜻하므로 of 뒤에는 항상 복수명사가 오며 단수 취급한다.

[확인 문제] 우리말과 뜻이 같도록 주어진 단어들을 사용하여 문장을 완성하시오.

1. 그녀는 그리스에서 가장 인기 있는 가수들 중 한 명이었다. (popular, singer)
→ She was _____ _____ in Greece.

2. 야구는 내 인생에서 가장 중요한 것들 중 하나이다. (important, thing)
→ Baseball is _____ _____ in my life.

3 Death Valley가 가장 뜨겁고 더운 지역인 이유를 본문에서 찾아 우리말로 쓰시오.

_____

■ 나의 독해 점검표 ■

Step ❶ | 채점 결과 정리

1. 내용 일치	○ / ✕
2. 밑줄 추론	○ / ✕
3. 서술형	○ / ✕

• 나의 약점 유형은? _____

Step ❷ | 독해력 점검

□ 지문의 내용을 충분히 이해함

□ 지문의 내용을 대체로 이해함

□ 지문의 내용을 이해하지 못함

Step ❸ | 문제 해결력 점검

□ 정답과 오답의 근거를 모두 찾음

□ 정답과 오답의 근거를 대체로 찾음

□ 정답과 오답의 근거를 찾지 못함

어휘 테스트

A 사진을 보고, 빈칸에 알맞은 단어를 골라 쓰시오.

> escape   floods   grave   installed   melt   straw

1 A plastic _____ is more economical.

2 A rice straw doesn't easily _____ in water.

3 The panels are _____ on mountains.

4 This is because of frequent _____ .

5 They thought that this valley would be their _____ .

6 The hot air cannot _____ .

B 다음 각 단어에 해당하는 의미를 짝지으시오.

1 costly   •   • ⓐ to keep something such as heat or water in one place

2 float   •   • ⓑ to stay on the surface of a liquid and not sink

3 trap   •   • ⓒ expensive, especially too expensive

환경 오염의 위험을 보여주는 사진들

♡ ⃝ ▽   ▢

이 비닐봉지 안에 갇힌 황새는 스페인의 한 쓰레기 매립지에서 발견됐습니다.

이 황새는 다행히 사진작가에 의해 구조됐지만 매년 수많은 동물들이 구조되지 못하고 죽어가고 있습니다.

♡ ⃝ ▽   ▢

플라스틱 쓰레기는 특히 해양 동물에게 위험합니다.

해마는 보통 해류를 타고 가기 위해 표류하는 해초 혹은 해양 물질들을 이용합니다. 위 사진은 그 과정에서 면봉에 걸려버린 해마를 담고 있습니다.

♡ ⃝ ▽   ▢

목을 길게 내밀어 머리는 그물 밖으로 빠져나왔지만, 사진작가가 풀어주지 않았다면 거북이는 아마 죽었을 것입니다.

이같이 버려진 낚시 장비는 거북이와 같은 거대한 해양 동물에게 큰 위협이 되고 있습니다.

Chapter 4

Health 건강

▷ ▶ 다음 단어의 뜻을 추측해 보고, 알고 있는 단어에 ✔표시를 하시오.

☐ dinosaur

☐ destroy

☐ tissue

☐ energetic

☐ peaceful

☐ teenager

☐ surf the Internet

☐ device

☐ distance

07-01

암, 무섭지 않아요!

　Cancer can be a ㉠scary word, but it doesn't have to be. It's a disease that's been around for millions of years and has even been found in dinosaur bones!

(A) The human body is made up of hundreds of different sorts of cells. They all have different jobs to make the body work. Normal cells know when to grow and know when to stop growing. Over time, they also die.

(B) It is a common disease. Almost everyone knows someone who has gotten very sick or died from cancer. Cancer begins when cells in a part of the body start to grow out of control.

(C) Unlike these normal cells, cancer cells just continue to grow and don't die when they're supposed to. When cells go wrong, they can start destroying healthy body tissue.

Tips

우리의 몸에는 몇 개의 세포가 있을까?
인간의 신체에는 60조 개의 세포가 있다고 한다.

조직(tissue)이란?
같은 기능과 형태를 가진 세포의 모임을 뜻한다.

제대로 독해법

어휘 Level Up

단어에 알맞은 우리말 뜻을 골라 그 기호를 빈칸에 쓰시오.
(뜻이 같은 단어에 한하여 중복 답 가능)

1　cancer　　…………
2　scary　　…………
3　disease　　…………
4　dinosaur　　…………
5　sort　　…………
6　cell　　…………
7　normal　　…………
8　common　　…………
9　almost　　…………
10　begin　　…………
11　unlike　　…………
12　continue　　…………
13　be supposed to　…………
14　destroy　　…………
15　tissue　　…………

ⓐ 거의　　ⓑ ~하기로 되어 있다
ⓒ 발생하다, 시작하다　ⓓ 암
ⓔ 세포　ⓕ 흔한　ⓖ 계속하다
ⓗ 파괴하다　ⓘ 공룡　ⓙ 질병
ⓚ 정상적인　ⓛ 무서운　ⓜ 종류
ⓝ (세포들로 이뤄진) 조직; 화장지
ⓞ ~와 달리[다른]

내용 일치

1 이 글의 내용과 일치하지 않는 것은?

① 암은 공룡의 뼈에서도 발견되는 질병이다.

② 인간의 몸은 다양한 종류의 세포로 구성되어 있다.

③ 암은 세포의 활동 이상으로 발생하는 질병이다.

④ 정상적인 세포는 계속해서 성장해 나간다.

⑤ 잘못된 세포는 건강한 신체 조직을 파괴한다.

순서 파악

2 What is the right order to read?

① (A) — (C) — (B)   ② (B) — (A) — (C)   ③ (B) — (C) — (A)

④ (C) — (A) — (B)   ⑤ (C) — (B) — (A)

서술형

3 이 글의 내용과 일치하도록 빈칸에 알맞은 말을 주어진 단어들 중에서 골라 쓰시오.

> growing   suffer   affects   disease   cells

　　Cancer is a common disease. There are many people who
(1) _____ from cancer. Our bodies are made up of
hundreds of cells. Cancer is a (2) _____ of the cells,
where bad cells don't stop (3) _____ and don't die. It
(4) _____ all other body tissue.

내신 Level Up

밑줄 친 ㉠scary와 의미가 가장 가까운 것은?

① common

② pleasant

③ cheerful

④ amazing

⑤ frightening

구문 Level Up

(A)의 3~4행 Normal cells know **when to grow** and know **when to stop** growing.

▶ 「when + to부정사」는 '언제 ~해야 할지'의 뜻을 나타내며, 「when + 주어 + should + 동사원형」으로 바꿔 쓸 수 있다. (= when they should grow, when they should stop)

cf. 의문사 + to부정사

how + to부정사: 어떻게 ~할지(~하는 법)

what + to부정사: 무엇을 ~할지

where + to부정사: 어디로 ~할지

who(m) + to부정사: 누구를[에게] ~할지

[확인 문제] 다음 우리말과 뜻이 같도록 주어진 단어와 「의문사 + to부정사」를 사용하여 문장을 완성하시오.

> 나는 점심으로 무엇을 먹을지 결정했다. (eat)

→ I decided _____ for lunch.

■ 나의 독해 점검표 ■

Step ❶ | 채점 결과 정리

1. 내용 일치	○ / ×
2. 순서 파악	○ / ×
3. 서술형	○ / ×

• 나의 약점 유형은? _____

→ Step ❷ | 독해력 점검

☐ 지문의 내용을 충분히 이해함

☐ 지문의 내용을 대체로 이해함

☐ 지문의 내용을 이해하지 못함

→ Step ❸ | 문제 해결력 점검

☐ 정답과 오답의 근거를 모두 찾음

☐ 정답과 오답의 근거를 대체로 찾음

☐ 정답과 오답의 근거를 찾지 못함

07-02

아침 운동 vs. 저녁 운동

Many people want to know whether they should exercise in the morning or in the evening. There is no definite answer.

(A) But if you exercise right before going to bed, it will make it hard for you to fall asleep. Actually, the best time to exercise is not the same for everyone. It depends on ㉠당신이 운동으로부터 얻고 싶은 것. The most important thing is no matter when you exercise, just do it regularly.

(B) But avoid excessive exercise in the morning because your body is not ready enough. On the other hand, if you exercise in the evening, you need not rush to work or study right after it. You will sleep better after evening exercise.

(C) Exercising in the morning makes you more energetic all day long. Moreover, you can reduce stress and your body will burn more calories during the day. You will experience a quiet and peaceful morning atmosphere too.

제대로 독해법

어휘 Level Up

단어에 알맞은 우리말 뜻을 골라 그 기호를 빈칸에 쓰시오.
(뜻이 같은 단어에 한하여 중복 답 가능)

1 exercise ....
2 definite ....
3 regularly ....
4 avoid ....
5 excessive ....
6 rush ....
7 energetic ....
8 moreover ....
9 reduce ....
10 burn ....
11 experience ....
12 quiet ....
13 peaceful ....
14 atmosphere ....

ⓐ 지나친, 과도한 ⓑ 분위기
ⓒ 피하다 ⓓ (칼로리를) 태우다
ⓔ 명확한 ⓕ 활기 있는
ⓖ 운동하다; 운동 ⓗ 경험하다
ⓘ 또한, 게다가 ⓙ 평화로운
ⓚ 조용한 ⓛ 줄이다 ⓜ 규칙적으로
ⓝ 서두르다

1 이 글의 내용과 일치하지 <u>않는</u> 것은?

① 아침에 운동을 하면 하루를 더욱 활기차게 보낼 수 있다.

② 아침에 운동을 하면 낮 동안의 칼로리 소모는 줄어들 것이다.

③ 아침에 심한 운동이나 자기 직전의 운동은 좋지 않다.

④ 저녁에 운동을 하면 서둘러 일하러 가지 않아도 된다.

⑤ 언제 운동하느냐보다는 규칙적으로 운동하는 것이 중요하다.

2 What is the right order to read?

① (A) — (C) — (B)   ② (A) — (B) — (C)

③ (B) — (C) — (A)   ④ (C) — (A) — (B)

⑤ (C) — (B) — (A)

3 밑줄 친 ㉠의 우리말에 맞게 주어진 단어들을 배열하시오.

> to / get / what / you / want / exercise / from

㉠ 당신이 운동으로부터 얻고 싶은 것

→ _____

내신 Level Up

다음 영영풀이가 뜻하는 단어를 본문에서 찾아 쓰시오.

_____ : to make something smaller or less in size, amount, or price

구문 Level Up

(A)의 마지막 문장 The most important thing is **no matter when** you exercise, just do it regularly.

▶ no matter when은 '언제 ~하더라도'의 뜻으로 복합관계부사 whenever로 바꿔 쓸 수 있다. 복합관계부사는 선행사를 포함하기 때문에 복합관계부사 앞에는 선행사가 없다.

[확인 문제] 다음 두 문장의 뜻이 같도록 빈칸에 알맞은 말을 쓰시오.

> No matter when you call me, I'll respond immediately.
> = _____ you call me, I'll respond immediately.

네가 언제 전화하더라도, 나는 즉시 응답할 것이다.

■ 나의 독해 점검표 ■

Step ❶ | 채점 결과 정리

1. 내용 일치	○ / ×
2. 순서 파악	○ / ×
3. 서술형	○ / ×

• 나의 약점 유형은? _____

Step ❷ | 독해력 점검

☐ 지문의 내용을 충분히 이해함

☐ 지문의 내용을 대체로 이해함

☐ 지문의 내용을 이해하지 못함

Step ❸ | 문제 해결력 점검

☐ 정답과 오답의 근거를 모두 찾음

☐ 정답과 오답의 근거를 대체로 찾음

☐ 정답과 오답의 근거를 찾지 못함

Goodnight Teenagers

08-01

Many studies have shown that teenagers need at least nine hours of sleep. In reality, however, only 25 percent of students say that they are getting enough sleep. Why? Many teens spend much time playing computer games and surfing the Internet. The problem is that the blue light from computer monitors may do (A) harm / benefit to the body's biological clock. According to scientists, a person's biological clock responds to the color of the sky, which is blue. When people see the sky, their biological clock thinks it is time to start the day. A blue computer screen can make someone's biological clock think it is _____. So teens who spend many hours in front of the computer may ㉠일찍 잠자리에 드는 데 어려움을 겪다. No matter how interesting it is to do on a computer, teenagers' sleep hours shouldn't be bothered by it.

제대로 독해법

어휘 Level Up

단어에 알맞은 우리말 뜻을 골라 그 기호를 빈칸에 쓰시오.
(뜻이 같은 단어에 한하여 중복 답 가능)

1	teenager	....
2	at least	....
3	in reality	....
4	spend	....
5	surf the Internet	....
6	harm	....
7	benefit	....
8	biological	....
9	according to	....
10	respond	....
11	in front of	....
12	bother	....

ⓐ ~에 따르면 ⓑ 적어도
ⓒ 혜택; 유익하다 ⓓ 생물학의
ⓔ 방해하다, 괴롭히다
ⓕ 해, 피해; 해를 끼치다
ⓖ ~의 앞에서 ⓗ 실제로는
ⓘ 반응하다 ⓙ (시간을) 보내다
ⓚ 인터넷 검색을 하다 ⓛ 십 대

주제 추론

1 이 글의 주제로 가장 적절한 것은?

① 시험 전날 충분한 수면의 필요성

② 청소년 수면 부족과 정신 건강의 관계

③ 필요한 수면 시간이 사람마다 다른 이유

④ 컴퓨터가 청소년의 수면을 방해하는 이유

⑤ 컴퓨터 게임이 청소년의 성적에 미치는 영향

빈칸 추론

2 What is the best choice for the blank?

① dark

② warm

③ Sunday

④ summer

⑤ morning

서술형

3 밑줄 친 ㉠의 우리말에 맞게 주어진 단어들을 배열하시오.

> to / sleep / early / difficulty / in / going / have

㉠일찍 잠자리에 드는 데 어려움을 겪다

→ _____

내신 Level Up

(A)의 네모 안에서 문맥에 맞는 낱말로 적절한 것을 골라 쓰시오.

_____

구문 Level Up

4~5행 Many teens **spend much time playing** computer games and surfing the Internet.

▶ 「spend + 시간[돈] + -ing」는 '~하는 데 시간[돈]을 보내다[쓰다]'라는 뜻의 -ing 관용 표현으로 시험에 자주 출제된다.

자주 쓰이는 -ing 관용 표현
look forward to -ing: ~하기를 고대하다
keep[prevent, stop] A from -ing: A가 ~하는 것을 막다
be busy -ing: ~하느라 바쁘다
cannot help -ing: ~할 수밖에 없다
have difficulty in -ing: ~하는 데 어려움을 겪다

[확인 문제] 다음 문장에서 어법상 틀린 부분을 찾아 바르게 고쳐 쓰시오.

> She can't help to say *yes*.

_____ → _____

그녀는 '네'라고 말할 수밖에 없다.

■ 나의 독해 점검표 ■

Step ❶ | 채점 결과 정리

1. 주제 추론	○ / ×
2. 빈칸 추론	○ / ×
3. 서술형	○ / ×

• 나의 약점 유형은? _____

Step ❷ | 독해력 점검

☐ 지문의 내용을 충분히 이해함

☐ 지문의 내용을 대체로 이해함

☐ 지문의 내용을 이해하지 못함

Step ❸ | 문제 해결력 점검

☐ 정답과 오답의 근거를 모두 찾음

☐ 정답과 오답의 근거를 대체로 찾음

☐ 정답과 오답의 근거를 찾지 못함

08-02

눈 건강 프로젝트

Nowadays many people spend hours a day looking at computer screens and other digital devices.

(A) Other suggestions include putting more distance between you and the device. Of course, another way to avoid eye strain is to spend less time looking at screens all together.

(B) Eye doctors suggest following the 20/20/20 rule. "Every twenty minutes, look away at a point twenty feet away or more for at least twenty seconds."

(C) Some eye care professionals say this leads to an increase in eye problems. It's because people blink less often when they look at digital devices. The average person using a computer or an electronic device blinks about a third as much as they do in everyday life. That can result in dry eye syndrome.

*eye strain 눈의 피로 **dry eye syndrome 안구 건조증

순서 파악

1 주어진 글 다음에 이어질 글의 순서로 가장 적절한 것은?

① (A) — (B) — (C)   ② (B) — (A) — (C)   ③ (B) — (C) — (A)

④ (C) — (A) — (B)   ⑤ (C) — (B) — (A)

제목 추론

2 What is the best title for this passage?

① How to Use Digital Devices Well

② Today's Advanced Digital Devices

③ Increasing Eye Problems Among Children

④ How to Avoid Eye Problems Linked to Digital Devices

⑤ The More You Blink, the Better the Eyesight You'll Have

서술형

3 눈의 피로를 피할 수 있는 세 가지 방법을 본문에서 찾아 우리말로 쓰시오.

(1) _____

(2) _____

(3) _____

내신 Level Up

안과 의사들이 제안하는 20/20/20 규칙이 무엇인지 본문에서 찾아 우리말로 쓰시오.

_____

_____

구문 Level Up

(C)의 1~2행 Some eye care professionals say **(that)** this leads to an increase in eye problems.

▶ that절은 문장에서 주어, 목적어, 보어 역할을 하는데 목적어절을 이끄는 접속사 that은 생략할 수 있다. 이 문장에서는 say의 목적어절을 이끄는 접속사 that이 생략되었다.

[확인 문제] 우리말과 뜻이 같도록 주어진 단어들을 배열하여 문장을 완성하시오.

1. 나는 Michael이 무죄라고 생각한다.
(is, that, Michael, innocent)
→ I think _____.

2. 나는 사랑이 변하지 않는다고 믿는다.
(love, change, that, doesn't)
→ I believe _____.

■ 나의 독해 점검표 ■

Step ❶ | 채점 결과 정리

1. 순서 파악	○ / ✕
2. 제목 추론	○ / ✕
3. 서술형	○ / ✕

• 나의 약점 유형은? _____

 Step ❷ | 독해력 점검

☐ 지문의 내용을 충분히 이해함

☐ 지문의 내용을 대체로 이해함

☐ 지문의 내용을 이해하지 못함

 Step ❸ | 문제 해결력 점검

☐ 정답과 오답의 근거를 모두 찾음

☐ 정답과 오답의 근거를 대체로 찾음

☐ 정답과 오답의 근거를 찾지 못함

어휘 테스트

A 사진을 보고, 빈칸에 알맞은 단어를 골라 쓰시오. (대·소문자 변화 가능)

> dinosaur   energetic   peaceful   tissue   surfing the Internet   teenagers

1 Cancer has even been found in _____ bones.

2 They can start destroying healthy body _____.

3 Exercising in the morning makes you more _____ all day long.

4 You will experience a _____ morning atmosphere.

5 _____ need at least nine hours of sleep.

6 Others are playing computer games and _____.

B 다음 각 단어에 해당하는 의미를 짝지으시오.

1 be supposed to   •

  • ⓐ physical or other injury or damage

2 atmosphere   •

  • ⓑ the character, feeling, or mood of a place or situation

3 harm   •

  • ⓒ to have a duty or a responsibility to

눈 건강에 좋은 습관

실내와 몸속 적정 습도를 유지해주세요!

수분 관리는 피부 미용에도 좋지만 메마른 눈에도 중요한 습관입니다. 몸속 수분이 부족하면 중추신경에 잘못된 신호를 보낼 수 있기 때문에 적정한 양의 물을 마셔 수분을 보충해줘야 합니다. 또한 가습기나 젖은 수건, 식물을 활용해 습도를 60% 정도로 유지해주는 것이 좋습니다.

업무 중간에 휴식을 취해주세요!

장시간 책을 읽거나 컴퓨터를 하고 TV를 시청하는 행위는 눈에 극심한 피로를 줍니다. 50분마다 5분에서 10분 정도 눈을 감거나 먼 산을 바라봐 눈의 피로를 줄여주세요. 또한 이동하는 차 안에서 스마트폰을 보는 것도 눈 건강을 해치는 요인 중 하나입니다.

눈을 자주 깜빡여주세요!

1분에 12~15회 정도 눈을 자주 깜빡여 안구의 수분을 보호해주세요. 자주, 제대로 깜빡여야 눈물 띠에 고여 있는 눈물이 안구 표면에 고르게 발라져 건조한 증상을 완화할 수 있습니다. 이때, 위아래 눈꺼풀이 서로 맞닿게 충분히 눈을 감아줘야 합니다.

Chapter
5

Information 정보

▷▶ 다음 단어의 뜻을 추측해 보고, 알고 있는 단어에 ✔표시를 하시오.

☐ interviewer

☐ sweat

☐ target

☐ argument

☐ negative

☐ pet

☐ alone

☐ yell

☐ for free

모기는 왜 나만 물까?

09-01

Interviewer : Mosquitoes bite only me! Is it true that there is a certain type of people who get more bitten by mosquitoes?

Doctor : Yes. Mosquitoes are very good at smelling, so they like people who produce a lot of secretions in their bodies.

Interviewer : Well, sweating is secretions from physical activity, right?

Doctor : Yes. Someone who sweats a lot and also someone who doesn't wash can be a target of mosquitoes.

Interviewer : I heard that the younger you are, the more you get bitten. Why is that?

Doctor : The younger you are, the more active you are. So your body produces more sweat and smells more. Mosquitoes like that.

Interviewer : If so, let's say an old man and a child sleep together. _____

Doctor : That's right.

Interviewer : I see, thank you for the detailed explanation.

*secretions 분비물

제대로 독해법

어휘 Level Up

단어에 알맞은 우리말 뜻을 골라 그 기호를 빈칸에 쓰시오.
(뜻이 같은 단어에 한하여 중복 답 가능)

1 interviewer ....
2 mosquito ....
3 bite ....
4 certain ....
5 produce ....
6 physical ....
7 activity ....
8 sweat ....
9 target ....
10 active ....
11 detailed ....
12 explanation ....

ⓐ 활동적인 ⓑ 활동 ⓒ 물다
ⓓ 특정한 ⓔ 자세한, 상세한
ⓕ 설명 ⓖ 인터뷰 진행자 ⓗ 모기
ⓘ 만들어 내다 ⓙ 땀을 흘리다; 땀
ⓚ 신체의 ⓛ 표적

제목 추론

1 이 글의 제목으로 가장 적절한 것은?

① Who Do Mosquitoes Like?

② The Need to Study Insects

③ How to Control Mosquitoes

④ Welcome to Mosquitoes Season

⑤ Wash Well and Fight Mosquitoes

 빈칸 추론

2 What is the best choice for the blank?

① An old man will be respected, right?

② An old man will not be bitten, right?

③ An old man will be treated quickly, right?

④ An old man will need to catch mosquitos, right?

⑤ An old man will have difficulty in falling asleep, right?

 서술형

3 모기에 잘 물리는 사람의 유형 세 가지를 본문에서 찾아 우리말로 쓰시오.

(1) _____

(2) _____

(3) _____

> **내신 Level Up**

어릴수록 모기에 더 많이 물리는 이유를 본문에서 찾아 우리말로 쓰시오.

_____

_____

> **구문 Level Up**

1~3행 Is **it** true **that** there is a certain type of people who get more bitten by mosquitoes?

▶ that절이 주어 역할을 할 때 대개 문장의 앞에 가주어 It을 쓰고 진주어인 that절은 뒤에 나온다. 주어 역할을 하는 that절은 '~라는 것은'으로 해석한다.

[확인 문제] 다음 문장을 가주어 it을 사용하여 바꿔 쓰시오.

1. That he was dead is true.
→ It _____.

그가 죽었다는 것은 사실이다.

2. That he lied is not certain.
→ It _____.

그가 거짓말을 했다는 것은 확실하지 않다.

■ 나의 독해 점검표 ■

Step ❶ | 채점 결과 정리

1. 제목 추론	O / X
2. 빈칸 추론	O / X
3. 서술형	O / X

• 나의 약점 유형은? _____

➡

Step ❷ | 독해력 점검

□ 지문의 내용을 충분히 이해함

□ 지문의 내용을 대체로 이해함

□ 지문의 내용을 이해하지 못함

➡

Step ❸ | 문제 해결력 점검

□ 정답과 오답의 근거를 모두 찾음

□ 정답과 오답의 근거를 대체로 찾음

□ 정답과 오답의 근거를 찾지 못함

나의 게임 중독 지수는?

09-02

It is hard for video game addicts to admit that they are addicted. Here are some questions to help you find out whether you are addicted to video games or not.

Never	Rarely	Sometimes	Often	Always
1 point	2 points	3 points	4 points	5 points

1. I ㉠normally play video games longer than I plan to.

2. I have had arguments because of my playing video games.

3. My school grades have been affected by video games.

4. I play video games though I have other things to do.

5. I have lied about how long I play video games.

6. I become so sad when I can't play video games.

7. I become angry (A) 누군가가 내가 비디오 게임하는 것을 막으면.

8. I often stay up all night playing video games.

9. I have tried to quit playing video games many times but failed.

10. I like playing video games more than meeting people.

0 ~ 15 points	You just enjoy playing video games. You're not addicted.
16 ~ 30 points	Video games sometimes have a negative effect on your daily life. Be careful.
31 ~ 50 points	You are addicted. You must do something about it.

제대로 독해법

어휘 Level Up

단어에 알맞은 우리말 뜻을 골라 그 기호를 빈칸에 쓰시오.
(뜻이 같은 단어에 한하여 중복 답 가능)

1 addict ....

2 admit ....

3 addicted ....

4 rarely ....

5 sometimes ....

6 argument ....

7 affect ....

8 though ....

9 stay up ....

10 all night ....

11 quit ....

12 negative ....

13 effect ....

14 daily life ....

ⓐ 중독자 ⓑ 중독된 ⓒ 인정하다
ⓓ 영향을 미치다 ⓔ 밤새도록
ⓕ 말다툼 ⓖ 일상생활 ⓗ 영향
ⓘ 부정적인 ⓙ 끊다, 그만두다
ⓚ 드물게, 좀처럼 ~하지 않는
ⓛ 가끔, 때때로 ⓜ 깨어 있다
ⓝ ~인데도, ~이지만

목적 추론

1 이 글의 목적으로 가장 적절한 것은?

① 비디오 게임을 권장하려고

② 비디오 게임 선호도를 조사하려고

③ 비디오 게임의 장단점을 설명하려고

④ 비디오 게임 중독 치료 방법을 알리려고

⑤ 비디오 게임 중독 여부를 자가 진단해보게 하려고

 내용 일치

2 Which is NOT true according to this passage?

① Video game addicts rarely admit their addictions.

② You have to add up the points to judge your addictions.

③ If you get 15 points, you should be careful.

④ With 40 points, you are addicted to video games.

⑤ 20 points means you are sometimes influenced by video games.

 서술형

3 밑줄 친 (A)의 우리말에 맞게 주어진 단어들을 배열하시오.

> stops / if / me / playing / from / someone / video games

(A) 누군가가 내가 비디오 게임하는 것을 막으면

→ _____

내신 Level Up

밑줄 친 ⑤ normally와 의미가 가장 가까운 것은?

① never

② always

③ sometimes

④ seldom

⑤ usually

구문 Level Up

첫 번째 문장 **It** is hard for video *game addicts* **to admit** that they are addicted.

▶ It은 가주어, for video game addicts는 to부정사의 의미상 주어, to admit 이하가 진주어이다. 문장이 It으로 시작되면 to부정사(진주어)를 찾아서 올바르게 해석한다.

[확인 문제] 다음 문장을 가주어 it을 사용하여 바꿔 쓰시오.

> To sing loudly at night is not good.

→ _____ loudly at night.

밤에 크게 노래하는 것은 좋지 않다.

■ 나의 독해 점검표 ■

Step ❶ | 채점 결과 정리

1. 목적 추론	O / X
2. 내용 일치	O / X
3. 서술형	O / X

• 나의 약점 유형은? _____

Step ❷ | 독해력 점검

☐ 지문의 내용을 충분히 이해함

☐ 지문의 내용을 대체로 이해함

☐ 지문의 내용을 이해하지 못함

Step ❸ | 문제 해결력 점검

☐ 정답과 오답의 근거를 모두 찾음

☐ 정답과 오답의 근거를 대체로 찾음

☐ 정답과 오답의 근거를 찾지 못함

왜 개는 주인이고 고양이는 집사라고 하지?

🎧 10-01

Both dogs and cats are lovely pets. But there are _____ between them. In the case of dogs, they regard their owner as if he or she were the leader of their group. (ⓐ) That is why they usually feel anxious when their owner is not with them. (ⓑ) Cats normally live alone, which means the owners are just neighbors and of little importance. (ⓒ) Dogs normally want to learn what to do and what to avoid doing from the highest member in their group, so the highest member — if a dog is a pet, it is you — can train and teach them. (ⓓ) Dogs want to please owners; cats are only interested in pleasing themselves. (ⓔ) This is why you often hear, "Dogs treat you as if you were a god, cats treat you as if they were a god."

제대로 독해법

어휘 Level Up

단어에 알맞은 우리말 뜻을 골라 그 기호를 빈칸에 쓰시오.
(뜻이 같은 단어에 한하여 중복 답 가능)

1 pet   ....
2 regard   ....
3 owner   ....
4 anxious   ....
5 normally   ....
6 alone   ....
7 neighbor   ....
8 of importance ....
9 avoid   ....
10 train   ....
11 please   ....
12 treat   ....

ⓐ 혼자   ⓑ 불안해하는   ⓒ 피하다
ⓓ 이웃   ⓔ 보통   ⓕ 중요한   ⓖ 주인
ⓗ 애완동물   ⓘ 즐겁게 하다
ⓙ ~으로 여기다   ⓚ 훈련시키다
ⓛ 대하다

1 글의 흐름으로 보아, 주어진 문장이 들어가기에 가장 적절한 곳은?

> But as for cats, you can't teach them since they never think of you as being superior to them.

① ⓐ ② ⓑ ③ ⓒ ④ ⓓ ⑤ ⓔ

2 What is the best choice for the blank?

① wrong information
② incorrect analysis
③ an obvious similarity
④ a biased explanation
⑤ distinctive differences

3 '개는 당신을 신처럼 대하고 고양이는 스스로를 신처럼 대한다.'는 말의 이유를 본문에서 찾아 우리말로 쓰시오.

_____

_____

내신 Level Up

이 글의 내용과 일치하도록 빈칸에 알맞은 말을 쓰시오.

> 개는 주인을 그룹의 (1) _____로 여기고, 고양이는 주인을 (2) _____으로 여긴다.

구문 Level Up

2~3행 In the case of dogs, they regard their owner **as if he or she were** the leader of their group.

▶「as if+가정법 과거」는「as if+주어+동사의 과거형」형태로 '마치 ~인 것처럼'의 뜻을 가진다. 현재와 반대되는 상황을 가정할 때 가정법 과거를 쓰므로 주어진 문장은 In fact, he/she isn't the leader of their group.으로 나타낼 수 있다.

[확인 문제] 우리말과 뜻이 같도록 주어진 단어들을 사용하여 문장을 완성하시오.

> 그들은 마치 공포 영화를 좋아하는 것처럼 이야기한다. (as if, like)

→ They talk _____ horror movies.

■ 나의 독해 점검표 ■

Step ❶ | 채점 결과 정리

1. 문장 삽입	○ / ×
2. 빈칸 추론	○ / ×
3. 서술형	○ / ×

• 나의 약점 유형은? _____

Step ❷ | 독해력 점검

☐ 지문의 내용을 충분히 이해함
☐ 지문의 내용을 대체로 이해함
☐ 지문의 내용을 이해하지 못함

Step ❸ | 문제 해결력 점검

☐ 정답과 오답의 근거를 모두 찾음
☐ 정답과 오답의 근거를 대체로 찾음
☐ 정답과 오답의 근거를 찾지 못함

10-02

비행기 안에서 난동을 부리면 안 돼!

People in airlines say that air rage is a growing problem. Air rage is when a passenger on a plane gets mad and starts acting ⓐbadly. (A) This needs to be fixed for the safety of everyone on the plane. (B) Sometimes ㉠angry passengers ⓑyell at the flight attendants. (C) Flight attendants are the people who can get to fly for free. (D) Some flight attendants have even been grabbed and hit. (E) It can be ⓒdangerous to have a passenger that is out of control on a plane. The ⓓsafety of the workers and passengers can be at risk. So how to better deal with angry passengers in a flight is very important. Therefore, punishment for acting badly on a plane is getting ⓔlighter. Air rage passengers will be fined a lot of money and sometimes will be put in prison.

*air rage 기내 난동

제대로 독해법

어휘 Level Up

단어에 알맞은 우리말 뜻을 골라 그 기호를 빈칸에 쓰시오.
(뜻이 같은 단어에 한하여 중복 답 가능)

1 airline　　　　…………
2 passenger　　…………
3 mad　　　·　　…………
4 badly　　　　…………
5 fix　　　　　…………
6 safety　　　　…………
7 yell　　　　　…………
8 flight attendant …………
9 for free　　　…………
10 grab　　　　…………
11 out of control　…………
12 at risk　　　…………
13 deal with　　…………
14 punishment　…………
15 fine　　　　…………

ⓐ 항공사　ⓑ 위험에 처한
ⓒ 심하게, 몹시　ⓓ 대하다, 처리하다
ⓔ ~에게 벌금을 부과하다; 벌금
ⓕ 고치다, 고정하다　ⓖ 승무원
ⓗ 무료로　ⓘ 붙잡다
ⓙ 몹시 화가 난　ⓚ 통제 불능의
ⓛ 승객　ⓜ 처벌　ⓝ 안전
ⓞ 소리 지르다

어휘 파악

1 밑줄 친 ⓐ~ⓔ 중에서 문맥상 낱말의 쓰임이 적절하지 <u>않은</u> 것은?

① ⓐ   ② ⓑ   ③ ⓒ   ④ ⓓ   ⑤ ⓔ

무관한 문장

2 What is the unrelated sentence in (A) ~ (E) according to this passage?

① (A)   ② (B)   ③ (C)   ④ (D)   ⑤ (E)

서술형

3 이 글의 내용과 일치하도록 빈칸에 알맞은 말을 주어진 단어들 중에서 골라 쓰시오.

> punishment   strict   behavior   safety

  Air rage is bad (1) _____ by angry passengers on a plane. It threatens the (2) _____ of the crew or other passengers. To avoid it, (3) _____ is getting stricter and stricter.

내신 Level Up

밑줄 친 ㉠angry passengers에 대한 묘사로 가장 적절한 것은?

① lazy and selfish
② shy and emotional
③ smart and creative
④ aggressive and violent
⑤ friendly and energetic

구문 Level Up

6~7행 Some flight attendants **have** even **been grabbed and hit**.

▶「have/has+been+p.p.」 형태의 현재완료 수동태로, People have even grabbed and hit some flight attendants.를 수동태로 바꿔 쓴 문장이다.

[확인 문제] 다음 문장을 수동태로 바꿔 쓰시오.

> I have used this camera since last month.
> → This camera _____ since last month.

나는 지난달부터 이 카메라를 사용해왔다.
→ 이 카메라는 지난달부터 사용되어왔다.

■ 나의 독해 점검표 ■

Step ❶ | 채점 결과 정리

1. 어휘 파악	O / X
2. 무관한 문장	O / X
3. 서술형	O / X

• 나의 약점 유형은? _____

Step ❷ | 독해력 점검

□ 지문의 내용을 충분히 이해함
□ 지문의 내용을 대체로 이해함
□ 지문의 내용을 이해하지 못함

Step ❸ | 문제 해결력 점검

□ 정답과 오답의 근거를 모두 찾음
□ 정답과 오답의 근거를 대체로 찾음
□ 정답과 오답의 근거를 찾지 못함

어휘 테스트

A 사진을 보고, 빈칸에 알맞은 단어를 골라 쓰시오.

alone   for free   pets   sweat   target   yell

1 Your body produces more _____.

2 They can be a _____ of mosquitoes.

3 Sometimes angry passengers _____ at the flight attendants.

4 They can get to fly _____.

5 Both dogs and cats are lovely _____.

6 Cats normally live _____.

B 다음 각 단어에 해당하는 의미를 짝지으시오.

1 bite •

2 passenger •

3 addict •

• ⓐ a person who is travelling in a vehicle but is not driving it, flying it

• ⓑ to use your teeth to cut into something or someone

• ⓒ a person who cannot stop doing or using something, especially something harmful

비행기 안에서 지켜야 할 에티켓

좌석 젖히기

좌석을 뒤로 젖히는 것에 대해서 꼭 기억해야 할 두 가지가 있습니다. 우선, 좌석을 바로 세워야 하는 시간은 비행기 이·착륙 시와 식사 시간으로 분명 정해져 있으므로 그 시간을 준수해야 합니다. 나머지 주의해야 할 한 가지는 좌석을 젖히거나 세울 때는 뒷자리 승객이 식사 중일 수도 있고, 테이블 위에 음료를 올려놓았을 수도 있기 때문에 갑작스럽게 움직이기보다는 가능한 한 천천히 움직이는 것이 좋습니다.

팔걸이 이용

팔걸이는 명확하게 어느 쪽이 내 것인지 정해져 있지는 않으나, 보통 통로 좌석과 창가 좌석의 경우 양 끝으로 혼자 사용할 수 있는 팔걸이가 있으므로 가운데 쪽 팔걸이는 중앙 좌석 승객이 사용할 수 있도록 배려합니다. 가장 피해야 할 행위는 양쪽 팔걸이를 모두 독차지하는 것입니다.

화장실 사용

기내의 화장실은 많은 사람이 공동으로 사용하는 곳인 만큼 주의가 필요합니다. 들어가서 문을 반드시 잠가야 '사용 중(Occupied)'이라고 표시가 됩니다. 그렇지 않을 경우 '비어 있음(Vacant)'으로 표시되어 다른 승객이 문을 열게 되는 민망한 상황이 발생할 수도 있습니다. 또 변기 사용 후에는 반드시 '물 내림(Toilet Flush)' 버튼을 누르고, 세면대 이용 후에는 휴지로 물기를 닦고 휴지통에 버리는 것이 다음 사람에 대한 예의입니다.

Chapter

6

Opinion 의견

▷ ▶ 다음 단어의 뜻을 추측해 보고, 알고 있는 단어에 ✔표시를 하시오.

☐ appearance

☐ tell a lie

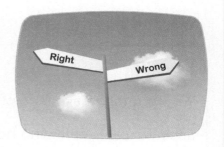

☐ wrong

☐ encourage

☐ practice

☐ schoolwork

☐ caring

☐ communication

☐ goldfish

네 생각은 어때?

🎧 11-01

Would you _____ to get a job?

Mike, 17

Yes. I'd rather make money even if it means changing my appearance. People who never change their appearances if it is for the job are just missing out on the opportunity to make money and that's ㉠their problem.

Raquel, 15

Never. I'd just get a job somewhere else. I think it's stupid that you would change your appearance to satisfy people. You should be yourself no matter what people say.

Crystal, 18

It depends on how much they want me to change. If they are just asking for minimal things then I'm willing to do it, but if they're asking me to change my entire appearance then I don't think the job would be worth having.

어휘 Level Up

단어에 알맞은 우리말 뜻을 골라 그 기호를 빈칸에 쓰시오.
(뜻이 같은 단어에 한하여 중복 답 가능)

1	make money	....
2	appearance	....
3	miss out	....
4	opportunity	....
5	problem	....
6	somewhere	....
7	else	....
8	stupid	....
9	satisfy	....
10	minimal	....
11	entire	....
12	worth	....

ⓐ 외모 ⓑ 다른 ⓒ 전체의
ⓓ 돈을 벌다 ⓔ 아주 적은
ⓕ 놓치다 ⓖ 기회 ⓗ 문제
ⓘ 만족시키다 ⓙ 어딘가에서
ⓚ 어리석은 ⓛ ~의 가치가 있는

1 밑줄 친 ㉠their problem이 의미하는 것으로 가장 적절한 것은?

① 정해진 복장 규정을 어기는 것

② 외모를 바꾸기 위해 돈을 버는 것

③ 자신의 부족한 부분을 채우지 않는 것

④ 직장에서 실력보다 외모를 더 중시하는 것

⑤ 외모를 바꾸지 않아 돈을 벌 기회를 놓치는 것

빈칸 추론

2 What is the best choice for the blank?

① think of your weight

② go to a good university

③ change your appearance

④ study a foreign language

⑤ improve your talents and skills

서술형

3 이 글의 내용을 요약할 때 빈칸에 알맞은 말을 주어진 단어들 중에서 골라 쓰시오.

> be   change   finish   degree   effort

When it comes to an appearance issue in regards to jobs, Mike said it was necessary to (1)_____ their appearances, while Raquel said to (2)_____ yourself was more important. Crystal answered it depended on (3)_____ of demand.

내신 Level Up

이 글의 내용에 따라 다음 주장에 어울리는 사람을 찾아 쓰시오.

1. Act according to the situation.:

_____

2. Don't judge a book by its cover.:

_____

3. You are judged by your appearance.:

_____

구문 Level Up

10행 You should be yourself **no matter what** people say.

▶ no matter what은 '무엇을 ~하더라도'의 의미로 복합관계대명사 whatever로 바꿔 쓸 수 있다. 복합관계대명사는 선행사를 포함하기 때문에 복합관계대명사 앞에는 선행사가 없다.

[확인 문제] 우리말과 뜻이 같도록 주어진 단어를 사용하여 문장을 완성하시오.

> 그녀가 무엇을 하더라도, 나는 이해한다. (do)

→ _____,
I understand.

■ 나의 독해 점검표 ■

Step ❶ | 채점 결과 정리

1. 밑줄 추론	○ / ✕
2. 빈칸 추론	○ / ✕
3. 서술형	○ / ✕

• 나의 약점 유형은? _____

Step ❷ | 독해력 점검

□ 지문의 내용을 충분히 이해함

□ 지문의 내용을 대체로 이해함

□ 지문의 내용을 이해하지 못함

Step ❸ | 문제 해결력 점검

□ 정답과 오답의 근거를 모두 찾음

□ 정답과 오답의 근거를 대체로 찾음

□ 정답과 오답의 근거를 찾지 못함

A White Lie

11-02

Jennifer

I know that ⓐtelling a lie is wrong. But sometimes I lie to my son. For example, my 11-year-old son plays basketball, but he's not very good. Yesterday he didn't play well. After the game, he said, "Did I play well?" I said, "Yes, you're a good player!" Am I doing the right thing?

David

Yes, you are. It's ㉠a white lie. You just want to encourage him. That's okay. Your lie is not ⓑhurting anyone.

Linda

You lied to make your son feel better. But he must work hard to be a good basketball player. Maybe next time, you can say, "No. Great basketball players practice a lot. Keep practicing." The truth will help him ⓒbecoming a better basketball player.

James

You ⓓdon't have to tell a lie to your son. He is ⓔold enough to learn the truth. In fact, we need to be honest to teach honesty to our children.

제대로 독해법

어휘 Level Up

단어에 알맞은 우리말 뜻을 골라 그 기호를 빈칸에 쓰시오.
(뜻이 같은 단어에 한하여 중복 답 가능)

1 tell a lie ....
2 wrong ....
3 sometimes ....
4 for example ....
5 white lie ....
6 encourage ....
7 hurt ....
8 anyone ....
9 maybe ....
10 practice ....
11 truth ....
12 honest ....
13 honesty ....

ⓐ 누구, 아무 ⓑ 격려하다
ⓒ 예를 들어 ⓓ 솔직한, 정직한
ⓔ 정직, 솔직함 ⓕ 다치게 하다
ⓖ 거짓말하다 ⓗ 아마
ⓘ 연습하다; 연습 ⓙ 때때로, 가끔
ⓚ 진실 ⓛ 선의의 거짓말
ⓜ 잘못된, 틀린

1 밑줄 친 @ ~ @ 중에서 어법상 틀린 것은?

① @   ② ⓑ   ③ ⓒ   ④ ⓓ   ⑤ ⓔ

2 What does the underlined ㉠a white lie mean?

① a false statement

② an intentional lie

③ a small or harmless lie

④ real facts about a situation

⑤ something bad that already happened

3 이 글의 내용과 일치하도록 주어진 철자로 시작하는 빈칸에 알맞은 말을 본문에서 찾아 쓰시오.

　　Some people think that telling a lie to (1)e_____ someone is okay because it doesn't hurt anyone. But others don't agree with the idea because (2)h_____ is more important for improvement.

내신 Level Up

이 글에서 Jennifer가 고민하고 있는 것은?

① to play basketball

② to punish her son

③ to encourage her son

④ to tell a lie to her son

⑤ to teach her son to play basketball

구문 Level Up

마지막부분 He is **old enough to learn** the truth.

▶「형용사+enough to부정사」는 '~할 만큼 충분히 …한[하게]'의 뜻으로 「so+형용사[부사]+that+주어+can[could]」로 바꿔 쓸 수 있다. (→ He is so old that he can learn the truth.)

[확인 문제] 다음 두 문장이 같은 뜻이 되도록 빈칸에 알맞은 말을 쓰시오.

> The man was kind enough to drive us home late at night.
> → The man was _____ _____ us home late at night.

그 남자는 늦은 밤에 우리를 집까지 태워다 줄 만큼 친절했다.

■ 나의 독해 점검표 ■

Step ❶ | 채점 결과 정리

1. 어법성 판단	O / X
2. 밑줄 추론	O / X
3. 서술형	O / X

• 나의 약점 유형은? _____

Step ❷ | 독해력 점검

□ 지문의 내용을 충분히 이해함

□ 지문의 내용을 대체로 이해함

□ 지문의 내용을 이해하지 못함

Step ❸ | 문제 해결력 점검

□ 정답과 오답의 근거를 모두 찾음

□ 정답과 오답의 근거를 대체로 찾음

□ 정답과 오답의 근거를 찾지 못함

🎧 12-01

게임 중독에서 벗어나고 싶어요!

Q	How Can I Stop My Online Game Addiction?

Hello, I am embarrassed to say that I am addicted to an online game. I have deleted the game several times, but I also have reinstalled it later. My schoolwork and relationships with people are getting worse. I feel guilty but what should I do?

A	Best Answer

So sorry to hear that! Online game addictions can result in weakened relationships with people, not to mention lost money, neglect of schoolwork, and a lot of wasted time. I used to be a serious addict too. But now, I _____.

Here are some ⊙tips to overcome it.

(1) Try to reduce or limit game time gradually and stop visiting PC rooms.

(2) Delete the game program and game ID and stay away from gaming computers.

(3) Train your mentality: realize that high scores in games will not be helpful in your future.

(4) Get busy doing something else like reading books or playing sports.

*mentality 정신 상태, 심리

제대로 독해법

어휘 Level Up

단어에 알맞은 우리말 뜻을 골라 그 기호를 빈칸에 쓰시오.
(뜻이 같은 단어에 한하여 중복 답 가능)

1	addiction	....
2	embarrassed	....
3	addicted	....
4	reinstall	....
5	schoolwork	....
6	relationship	....
7	guilty	....
8	weakened	....
9	neglect	....
10	overcome	....
11	reduce	....
12	limit	....
13	gradually	....
14	realize	....

ⓐ 중독된 ⓑ 중독 ⓒ 관계
ⓓ 창피한, 당황스러운 ⓔ 서서히
ⓕ 죄책감이 드는 ⓖ 약화된
ⓗ 제한하다 ⓘ 소홀; 방치하다
ⓙ 극복하다 ⓚ 인식하다, 깨닫다
ⓛ 줄이다 ⓜ 재설치하다 ⓝ 학업

1 이 글의 빈칸에 들어갈 말로 가장 적절한 것은?

① have dealt with it

② have made no improvements

③ have become more serious

④ have addiction habits

⑤ can't control my addiction

내신 **Level Up**

밑줄 친 ㉠**tips**와 같은 의미로 쓰인 것은?

① Point with the tip of your finger.

② Here are useful tips on how to save money.

③ He gave the waiter a generous tip.

④ The boat tipped to one side.

⑤ This is the tip of the iceberg.

2 Which is NOT true according to the tips?

① Spend less time playing online game.

② Get rid of a game program and a game ID

③ Keep away from gaming computers.

④ Make good use of your high game scores.

⑤ Do something other than sit at a computer.

구문 **Level Up**

13~14행 (1) **Try to reduce** or limit game time gradually and **stop visiting** PC rooms.

▶ try는 to부정사와 동명사를 모두 목적어로 쓰지만 각각 의미가 다르게 쓰인다.

| try+to부정사: ~하려고 노력하다 |
| try+동명사: (한번) ~해보다 |

▶ stop 뒤에는 동명사와 to부정사가 모두 올 수 있지만 목적어로는 동명사만 쓴다. stop 뒤에 오는 to부정사는 목적어가 아니라 부사 역할을 한다.

| stop+동명사: ~하는 것을 멈추다 |
| stop+to부정사: ~하기 위해 멈추다 |

[확인 문제] 우리말과 뜻이 같도록 괄호 안에서 알맞은 것을 고르시오.

| 우리는 우리 힘만으로 이 문제들을 모두 풀기 위해 열심히 노력했다. |

→ We tried hard (solving / to solve) these problems all by ourselves.

3 베스트 답변에서 제시된 온라인 게임 중독의 폐해 네 가지를 찾아 우리말로 쓰시오.

(1) _____

(2) _____

(3) _____

(4) _____

■ 나의 독해 점검표 ■

Step ❶ | 채점 결과 정리

1. 빈칸 추론	○ / ✕
2. 내용 일치	○ / ✕
3. 서술형	○ / ✕

• 나의 약점 유형은? _____

Step ❷ | 독해력 점검

☐ 지문의 내용을 충분히 이해함

☐ 지문의 내용을 대체로 이해함

☐ 지문의 내용을 이해하지 못함

Step ❸ | 문제 해결력 점검

☐ 정답과 오답의 근거를 모두 찾음

☐ 정답과 오답의 근거를 대체로 찾음

☐ 정답과 오답의 근거를 찾지 못함

개와 금붕어 중 당신의 선택은?

12-02

Do you know how to spend money wisely? Before spending some money, ask yourself one basic question; _____?

(A) A research shows this kind of caring and communication brings more meaningful moments to us. Wise spending doesn't always mean spending less money. Instead, think of the value it will bring to us.

(B) But what many people fail to consider is that ⓐhaving a pet dog can change the quality of their time. How can this happen? Having a dog gives us the responsibility of going on walks and chances to talk with other dog owners.

(C) Let's say you're going to buy a pet animal. You could pay 50 dollars for a goldfish, tank, and fish food. Or you could pay thousands of dollars for a pet dog. Compared with a goldfish, caring for a dog comes with a big time burden and big price tag.

제대로 독해법

어휘 Level Up

단어에 알맞은 우리말 뜻을 골라 그 기호를 빈칸에 쓰시오.
(뜻이 같은 단어에 한하여 중복 답 가능)

1	wisely	....
2	research	....
3	caring	....
4	communication	....
5	bring	....
6	meaningful	....
7	value	....
8	consider	....
9	responsibility	....
10	goldfish	....
11	tank	....
12	care for	....
13	burden	....
14	price tag	....

ⓐ 가져오다   ⓑ 부담, 짐   ⓒ 돌봄
ⓓ 의사소통   ⓔ ~을 돌보다
ⓕ 고려하다   ⓖ 금붕어
ⓗ 의미 있는, 중요한   ⓘ 가격(표)
ⓙ 연구, (연구) 조사   ⓚ 책임감
ⓛ 어항, 수조   ⓜ 가치   ⓝ 현명하게

순서 파악

1 주어진 글 다음에 이어질 글의 순서로 가장 적절한 것은?

① (A) — (C) — (B)

② (B) — (A) — (C)

③ (B) — (C) — (A)

④ (C) — (A) — (B)

⑤ (C) — (B) — (A)

 빈칸 추론

2 What is the best choice for the blank?

① How easy is it to buy

② How can I save some money

③ How much money does a thing cost

④ Is it a necessary consumption in life

⑤ How will this purchase affect my life

 서술형

3 '현명하게 돈을 쓴다'는 의미를 본문에서 찾아 우리말로 쓰시오.

_____

내신 **Level Up**

밑줄 친 ㉠ having a pet dog can change the quality of their time에 해당하는 것을 찾아 우리말로 쓰시오.

_____

_____

구문 **Level Up**

(B)의 3~4행 Having a dog **gives us the responsibility** *of going on walks* **and chances** *to talk with other dog owners.*

▶「주어 + 동사 + 간접목적어 + 직접목적어」 형태의 4형식 문장으로 '~에게 …을 해주다'의 의미를 가지고, 「주어 + 동사 + 직접목적어 + 전치사 + 간접목적어」 형태의 3형식 문장으로 바꿔 쓸 수 있으며 동사에 따른 전치사의 쓰임에 유의한다. 여기서는 give가 쓰였으므로 전치사 to가 쓰인다.

[확인 문제] 다음 4형식 문장을 3형식 문장으로 바꿔 쓰시오.

I brought the repair shop a digital camera.
→ I brought _____

_____ .

나는 수리점에 디지털카메라를 가져갔다.

■ 나의 독해 점검표 ■

Step ❶ | 채점 결과 정리 Step ❷ | 독해력 점검 → Step ❸ | 문제 해결력 점검

1. 순서 파악	O / X
2. 빈칸 추론	O / X
3. 서술형	O / X

• 나의 약점 유형은? _____

Step ❷ | 독해력 점검

□ 지문의 내용을 충분히 이해함

□ 지문의 내용을 대체로 이해함

□ 지문의 내용을 이해하지 못함

Step ❸ | 문제 해결력 점검

□ 정답과 오답의 근거를 모두 찾음

□ 정답과 오답의 근거를 대체로 찾음

□ 정답과 오답의 근거를 찾지 못함

A 사진을 보고, 빈칸에 알맞은 단어를 골라 쓰시오.

> appearance   encourage   goldfish   schoolwork   practice   wrong

1 It means changing my _____.

2 I know that telling a lie is _____.

3 You just want to _____ him.

4 Great basketball players _____ a lot.

5 It can result in neglect of _____.

6 You could pay 50 dollars for a _____, tank, and fish food.

B 다음 각 단어에 해당하는 의미를 짝지으시오.

1 opportunity   •

  • ⓐ the chance to do something

2 satisfy   •

  • ⓑ a piece of paper with a price that is attached to a product

3 price tag   •

  • ⓒ to please someone by giving them what they want or need

토론에 필요한 자세

♡ ○ ▷   🔖

토론은 왜 필요할까?

단체 안에서 큰 문제가 생길 때 문제를 해결하는 가장 좋은 방법
은 토론입니다. 토론은 서로 반대 의견을 가진 사람들이 자신의
생각이나 의견, 또는 주장을 상대방이 인정하도록 논리적으로 말
하고 설득하는 과정입니다.

♡ ○ ▷   🔖

토론을 잘하려면?

토론을 잘하려면 토론의 주제, 이유, 설명, 반론, 결론이 반드시
명확해야 합니다. 토론에 참여하는 사람들은 문제 상황에 대한
이해가 먼저 이루어져야 하고 타당하고 마땅한 근거를 준비해야
합니다. 또한 찬성의 이유가 무엇인지, 반대의 이유가 무엇인지
상대방에게 잘 설명하고 알려줘야 합니다.

♡ ○ ▷   🔖

자신감 있게 말하고, 존중하는 마음으로 듣기

상대방과 토론을 할 때에는 당당한 자세와 뚜렷한 목소리로 자신
의 주장을 말해야 합니다. 또 상대방을 똑바로 쳐다보며 웃는 얼
굴로 말하는 것이 더 좋습니다. 상대방의 주장에 대해 메모를 하
며 침착하게 듣고 다른 사람의 의견을 무시해서는 안 되며 목소
리를 너무 높이지 않도록 주의해야 합니다. 마지막으로 제일 중
요한 것은 의견이나 입장이 다르더라도 서로 존중하는 마음을 명
심해야 합니다.

Chapter

7

Science 과학
★
Space 우주

▷▶ 다음 단어의 뜻을 추측해 보고, 알고 있는 단어에 ✔표시를 하시오.

☐ connect

☐ telescope

☐ analyze

☐ observe

☐ collapse

☐ submarine

☐ upside down

☐ clockwise

☐ astronaut

블랙홀 첫 촬영

13-01

Do you believe that black holes can be seen?

(A) In April 2018, a certain scientists' group had an idea to connect telescopes together as much as they needed to see a black hole. They combined images from the eight telescope facilities to analyze a zone in which they suspected a black hole exists.

(B) Now, some scientists succeeded in taking a picture of it. They actually needed a telescope in the size of a planet to observe any black hole. However, this was almost impossible in that the planet-sized telescope would collapse under its own weight.

(C) After one year, they were successful in capturing the detailed images of a black hole over a great distance. It was a giant leap in technology, connecting the world's best telescopes. Space scientists _____.

빈칸 추론

1 이 글의 빈칸에 들어갈 말로 가장 적절한 것은?

① developed a spaceship to reach black holes

② helped each other to capture a picture of black holes

③ competed each other to take a picture of black holes

④ invented the best performing camera to observe black holes

⑤ sent the telescope to the universe to photograph black holes

 순서 파악

2 What is the right order to read?

① (A) — (C) — (B) ② (B) — (A) — (C)

③ (B) — (C) — (A) ④ (C) — (A) — (B)

⑤ (C) — (B) — (A)

 서술형

3 블랙홀을 하나의 망원경으로 촬영할 수 <u>없었던</u> 이유를 본문에서 찾아 우리말로 쓰시오.

_____

_____

내신 Level Up

다음 설명에서 It이 가리키는 말을 본문에서 찾아 영어로 쓰시오. (1단어)

It is a long instrument shaped like a tube. It has lenses inside it that make distant things seem larger and nearer when you look through it.

_____

구문 Level Up

(A)의 3~5행 They combined images from the eight telescope facilities to analyze *a zone* **in which** they suspected a black hole exists.

▶ 전치사가 포함된 관계대명사의 문장 구조로 「선행사(a zone) + 전치사(in) + 관계대명사(which) + 완전한 절(they suspected~)」의 형태를 가지며 선행사가 시간, 장소, 이유 등일 경우 관계부사로 바꿔 쓸 수 있다. 이 문장에서 선행사는 장소(a zone)이므로 관계부사 where로 바꿔 쓸 수 있다.

[확인 문제] 괄호 안에서 알맞은 것을 고르시오.

Do you have a pen (on / with) which you can write?

너는 쓸 수 있는 펜 한 자루를 가지고 있니?

■ 나의 독해 점검표 ■

Step ❶ | 채점 결과 정리

1. 빈칸 추론	O / X
2. 순서 파악	O / X
3. 서술형	O / X

• 나의 약점 유형은? _____

→

Step ❷ | 독해력 점검

☐ 지문의 내용을 충분히 이해함
☐ 지문의 내용을 대체로 이해함
☐ 지문의 내용을 이해하지 못함

→

Step ❸ | 문제 해결력 점검

☐ 정답과 오답의 근거를 모두 찾음
☐ 정답과 오답의 근거를 대체로 찾음
☐ 정답과 오답의 근거를 찾지 못함

잠수함의 작동 원리

13-02

A submarine is made of steel, which means it is extremely heavy. Have you ever wondered how submarines float and dive though they are not light? ⓐIf so, let me give you an example. ⓑImagine you have a cup. ⓒMake sure it is empty and then put it in the water upside down. ⓓTry pushing it into the water. ⓔThe water should be warm and clean enough to make you comfortable. It is not easy to make the cup sink because of the air in it. The air makes it float. Furthermore, as soon as you stop pushing it, it will just float back to the surface. This is how submarines float. They have a tank called a ballast. As long as they have air in the tank, they float. When submarines need to ㉠go underwater, just letting water come into and fill the tank is enough.

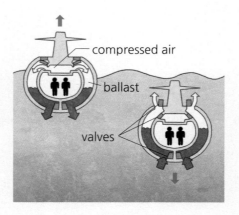

compressed air

ballast

valves

1 ⓐ ~ ⓔ 중에서 글의 전체 흐름과 관계<u>없는</u> 문장은?

① ⓐ   ② ⓑ   ③ ⓒ   ④ ⓓ   ⑤ ⓔ

2 What is the best title for this passage?

① What Makes the Cup Sink?

② History and Design of Submarines

③ The Way Submarines Float and Sink in the Sea

④ A Variety of Submarines Around the World

⑤ Submarines: One of the Most Powerful Weapons in the Sea

서술형

3 이 글의 내용과 일치하도록 빈칸에 알맞은 말을 주어진 단어들 중에서 골라 쓰시오.

> air float water ballast

   How does a submarine work? A submarine can float when its tank is filled with (1) _____. It will sink when its tank is full of (2) _____. The tank's name is (3) _____.

내신 Level Up

밑줄 친 ㉠go underwater와 의미가 가장 가까운 것은?

① dive
② load
③ float
④ wonder
⑤ imagine

구문 Level Up

7~8행 It is not easy to make the cup sink **because of** *the air* in it.

▶ because of는 '~ 때문에'의 뜻을 가지고 명사(구)와 함께 쓴다. 접속사 because 는 절(주어+동사)과 함께 쓴다.

[확인 문제] 어법상 틀린 곳을 찾아 바르게 고쳐 쓰시오.

> Because a hurricane, they went to the basement.

_____ → _____

허리케인 때문에, 그들은 지하실로 갔다.

■ 나의 독해 점검표 ■

Step ❶ | 채점 결과 정리

1. 무관한 문장	○ / ×
2. 제목 추론	○ / ×
3. 서술형	○ / ×

• 나의 약점 유형은? _____

Step ❷ | 독해력 점검

☐ 지문의 내용을 충분히 이해함
☐ 지문의 내용을 대체로 이해함
☐ 지문의 내용을 이해하지 못함

Step ❸ | 문제 해결력 점검

☐ 정답과 오답의 근거를 모두 찾음
☐ 정답과 오답의 근거를 대체로 찾음
☐ 정답과 오답의 근거를 찾지 못함

🎧 14-01

금성은 어떤 행성일까?

Venus is the second closest planet to the Sun. It is about the same size as Earth but has so many different features. ⓐUnlike the Earth, Venus spins clockwise, so the sun comes up in the west there. In addition, it takes only 225 days for Venus to go around the Sun, because it goes around the Sun in a smaller circle. An interesting thing is that on Venus, the days are longer than the years are. ⓑThat's because Venus spins very slowly, so a day on Venus is as long as 243 Earth days. Then is it possible to live on Venus? No. ⓒPeople standing on Venus would be crushed to death by the air pressing down on them. ⓓVenus is now under development by scientists. Moreover, the clouds of carbon dioxide hold heat, making Venus too hot to live on. ⓔBesides, this heat has boiled away the water on Venus, which means there's no water there.

어휘 Level Up

단어에 알맞은 우리말 뜻을 골라 그 기호를 빈칸에 쓰시오.
(뜻이 같은 단어에 한하여 중복 답 가능)

1 Venus   ....
2 planet   ....
3 feature   ....
4 unlike   ....
5 spin   ....
6 clockwise   ....
7 come up   ....
8 circle   ....
9 interesting   ....
10 possible   ....
11 crush   ....
12 development   ....
13 carbon dioxide ....
14 besides   ....
15 boil away   ....

ⓐ 게다가, 또한
ⓑ 끓여서 증발시키다, 계속 끓다
ⓒ 이산화탄소(CO₂) ⓓ (천체의) 궤도, 원
ⓔ 시계 방향으로 ⓕ (해가) 뜨다, 다가오다
ⓖ 짓누르다 ⓗ 개발, 발달 ⓘ 특징
ⓙ 흥미로운 ⓚ 행성 ⓛ 가능한
ⓜ 돌다, 회전하다 ⓝ ~와는 달리
ⓞ 금성

내용 일치

1 Venus에 관한 이 글의 내용과 일치하지 <u>않는</u> 것은?

① The planet, as big as Earth, turns clockwise.

② It takes only 225 days for Venus to go around the Sun.

③ Venus goes around the Sun in a smaller circle than the Earth.

④ On Venus, a year is like 243 Earth days.

⑤ Carbon dioxide clouds made Venus a hot planet.

무관한 문장

2 What is the unrelated sentence in ⓐ ~ ⓔ according to this passage?

① ⓐ   ② ⓑ   ③ ⓒ   ④ ⓓ   ⑤ ⓔ

서술형

3 이 글의 내용과 일치하도록 빈칸에 알맞은 말을 본문에서 찾아 각각 한 단어로 쓰시오.

> Q: Can people live on Venus?
> A: No. People would be crushed to death by the (1)_____.
> Besides it is too (2)_____ for people to live on and there is no (3)_____ there.

내신 **Level Up**

금성에서 태양이 서쪽에서 뜨는 이유를 본문에서 찾아 우리말로 쓰시오.

_____

구문 **Level Up**

9~11행 *People* **standing on Venus** would be crushed to death by *the air* **pressing down on them**.

▶ 분사는 명사 앞에서, 분사구는 명사 뒤에서 수식한다. 여기에서는 두 개의 분사구(standing on Venus, pressing down on them)가 앞에 나온 명사 People, the air를 각각 수식한다.

[확인 문제] 주어진 단어를 빈칸에 알맞은 형태로 바꿔 쓰시오.

> The boy _____ the bass guitar is my brother. (play)

베이스 기타를 치고 있는 그 소년이 내 남동생이다.

■ 나의 독해 점검표 ■

Step ❶ | 채점 결과 정리

1. 내용 일치	O / X
2. 무관한 문장	O / X
3. 서술형	O / X

• 나의 약점 유형은? _____

→

Step ❷ | 독해력 점검

□ 지문의 내용을 충분히 이해함
□ 지문의 내용을 대체로 이해함
□ 지문의 내용을 이해하지 못함

→

Step ❸ | 문제 해결력 점검

□ 정답과 오답의 근거를 모두 찾음
□ 정답과 오답의 근거를 대체로 찾음
□ 정답과 오답의 근거를 찾지 못함

우주에서 우주 비행사에게 무슨 일이 생길까?

14-02

What happens to astronauts in space? In space they can't stand or walk — they float. It changes the astronauts' bodies and brains. For example, they get about 1.5 inches(3.8 cm) taller. Their hearts get smaller because the blood in their bodies (A) move / moves up to their heads. Also, their bones and muscles get weaker. To keep them strong, astronauts must exercise every day. The brain also changes in space. About 65% of astronauts (B) get / gets motion sickness in space. They may also sweat and have headaches. Other changes in the brain ㉠서 있는 것과 걷는 것을 어렵게 만든다 for the first few days back on earth. Scientists study these changes to keep astronauts (C) healthy / healthily in space for a longer time. Then, astronauts can take longer trips to visit other planets.

*motion sickness 멀미

제대로 독해법

어휘 Level Up

단어에 알맞은 우리말 뜻을 골라 그 기호를 빈칸에 쓰시오.
(뜻이 같은 단어에 한하여 중복 답 가능)

1 happen ....
2 astronaut ....
3 float ....
4 for example ....
5 inch ....
6 muscle ....
7 weak ....
   (weak < weaker < weakest)
8 exercise ....
9 sweat ....
10 headache ....
11 trip ....
12 visit ....

ⓐ 우주 비행사 ⓑ 운동; 운동하다
ⓒ (물이나 공중에) 뜨다 ⓓ 예를 들어
ⓔ (일이) 일어나다, 발생하다 ⓕ 두통
ⓖ 인치(길이의 단위) ⓗ 근육
ⓘ 약한 ⓙ 땀을 흘리다; 땀 ⓚ 여행
ⓛ 방문하다

1 (A), (B), (C)의 각 네모 안에서 어법에 맞는 표현으로 가장 적절한 것은?

(A)	(B)	(C)
① move	---- get	---- healthy
② move	---- gets	---- healthily
③ moves	---- get	---- healthy
④ moves	---- gets	---- healthy
⑤ moves	---- get	---- healthily

2 Which is NOT astronauts' symptom in space?

① Astronauts get about 3.8 cm taller.
② Astronauts' hearts become smaller.
③ Astronauts' bones and muscles get weaker.
④ Astronauts sweat and have headaches.
⑤ Astronauts' bodies get healthier.

3 밑줄 친 ㉠의 우리말에 맞게 주어진 단어들을 배열하시오.

make / stand / and / difficult / to / walk / it

㉠ 서 있는 것과 걷는 것을 어렵게 만든다

→ _____

어휘 테스트

A 사진을 보고, 빈칸에 알맞은 단어를 골라 쓰시오.

> clockwise   collapse   connect   submarine   telescope   upside down

1 Scientists had an idea to _____ telescopes together.

2 They actually needed a _____.

The planet-sized telescope would _____ under its own weight.

3 The planet-sized telescope would _____ under its own weight.

4 A _____ is made of steel.

5 Put it in the water _____.

6 Venus spins _____.

B 다음 각 단어에 해당하는 의미를 짝지으시오.

1 crush

2 float

3 wonder

ⓐ to ask yourself questions or express a wish to know about something

ⓑ to stay on the surface of a liquid and not sink

ⓒ to press something very hard so that it is broken

블랙홀이란 무엇인가

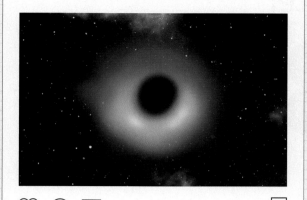

♡ 💬 ✈ 🔖

블랙홀은 무엇인가요?

블랙홀은 중력의 당기는 힘이 너무 강해서 빛을 포함한 모든 전자기파가 빠져나가지 못하는 우주 공간입니다. 빛이 안 보이다 보니 블랙홀(black hole)이라고 부릅니다.

♡ 💬 ✈ 🔖

블랙홀은 어떤 모습인가요?

지구나 달, 별 등은 물질들이 모여서 어떤 덩어리를 만들고 있는 상태입니다. 하지만 블랙홀은 모든 질량이 중심에 거의 점으로 존재하고 그 바깥쪽은 휘어 있지만 빈 공간입니다.

♡ 💬 ✈ 🔖

블랙홀은 미래로 가는 타임머신인가요?

블랙홀 근처에서는 시간이 느리게 가는데 이렇게 시간이 느리게 가는 현상을 잘 이용하면 미래로 가는 것이 가능합니다. 예를 들어 타임머신을 타고 자신의 시계로는 1분이 흘렀는데 주변은 100년이 흘렀다면 미래로 갔다고 할 수 있을 것입니다. 블랙홀 근처에 살게 되면 자신의 시계를 비롯하여 주변의 모든 현상들이 정상적으로 흘러가는데 나중에 지구에 있는 친구를 만나보면 친구가 그 사이 많이 늙어 있는 것을 발견하게 될 것입니다.

Chapter

8

Stories 이야기
★
Origins 유래

▷▶ 다음 단어의 뜻을 추측해 보고, 알고 있는 단어에 ✔표시를 하시오.

☐ accurate

☐ firewood

☐ hunt

☐ wheat

☐ stare

☐ bored

☐ plate

☐ slice

☐ sweet

이번 겨울은 정말 추울 것 같아요!

15-01

The chief of a Native American tribe wanted to know whether the coming winter would be cold or not. He ㉠made a decision to call the National Weather Service to ask about it. He thought it was much more scientific and accurate than predicting weather in a traditional way. A man at the National Weather Service said, "Yes, it is going to be a cold winter." So the chief ordered his tribe to collect lots of firewood. When the chief called the Weather Service again, the weatherman said, "Yes, it will be really cold." So the chief told his people again to collect as much firewood as possible. A month later the chief called the National Weather Service once more and the man said, "It will be the coldest winter in recent years." "What makes you so sure?" the chief asked. (A)The weatherman answered, "Because Native Americans in this area are collecting firewood like crazy."

*the National Weather Service 미국 국립 기상청

winter?

very cold

제대로 독해법

어휘 Level Up

단어에 알맞은 우리말 뜻을 골라 그 기호를 빈칸에 쓰시오.
(뜻이 같은 단어에 한하여 중복 답 가능)

1 chief ....
2 tribe ....
3 decision ....
4 scientific ....
5 accurate ....
6 predict ....
7 traditional ....
8 way ....
9 order ....
10 firewood ....
11 weatherman ....
12 recent ....
13 crazy ....

ⓐ 정확한　ⓑ 추장　ⓒ 미치광이; 미친
ⓓ 결정　ⓔ 땔감, 장작　ⓕ 지시하다
ⓖ 예측하다　ⓗ 최근의　ⓘ 과학적인
ⓙ 전통적인　ⓚ 부족　ⓛ 방법
ⓜ 기상 예보관

1 이 글의 내용과 일치하는 것은?

① 추장은 겨울 날씨에 관심이 없었다.

② 추장은 기상청에 찾아갔다.

③ 기상 예보관은 전화를 받지 않았다.

④ 추장은 추운 겨울을 대비하기 위해 혼자 땔감을 모았다.

⑤ 기상 예보관은 겨울이 추울 것이라고 말했다.

밑줄 추론

2 What does the underlined (A) mean?

① National Weather Service must be lazy in forecasting.

② It is not true that unusually cold winter is approaching.

③ Native Americans have a hard time preparing for winter.

④ National Weather Service doesn't get along with Native Americans.

⑤ National Weather Service gets a hint about weather from the behavior of Native Americans.

서술형

3 이 글의 내용과 일치하도록 빈칸에 알맞은 말을 주어진 단어들 중에서 골라 쓰시오.

> chief   collected   weather   cold

A (1) _____ of a Native American tribe was told the coming winter would be really (2) _____ by a weatherman. The weatherman told him that because the chief's people (3) _____ a lot of fuel.

내신 Level Up

밑줄 친 ㉠made a decision과 바꿔 쓸 수 있는 것은?

① denied

② decided

③ collected

④ predicted

⑤ answered

구문 Level Up

9~10행 So the chief **told his people** again **to collect** as much firewood as possible.

▶ 「tell + 목적어 + 목적격보어(to부정사)」 형태의 5형식 문장이다. tell, order, ask, want 등의 동사는 5형식 문장에서 목적격보어로 to부정사가 온다.

[확인 문제] 괄호 안에서 알맞은 것을 고르시오.

1. I want you (do / to do) the work.

   나는 네가 그 일을 하기를 원한다.

2. He asked me (turn / to turn) off the radio.

   그는 내게 라디오를 꺼달라고 했다.

■ 나의 독해 점검표 ■

Step ❶ | 채점 결과 정리

1. 내용 일치	○ / ✕
2. 밑줄 추론	○ / ✕
3. 서술형	○ / ✕

• 나의 약점 유형은? _____

→

Step ❷ | 독해력 점검

☐ 지문의 내용을 충분히 이해함

☐ 지문의 내용을 대체로 이해함

☐ 지문의 내용을 이해하지 못함

→

Step ❸ | 문제 해결력 점검

☐ 정답과 오답의 근거를 모두 찾음

☐ 정답과 오답의 근거를 대체로 찾음

☐ 정답과 오답의 근거를 찾지 못함

🎧 15-02

여우를 만난 어린 왕자

"My life is monotonous. I hunt chickens; people hunt me. All chickens are just ⓐalike, and all men are just alike."

(A) "And then, look! You see the wheat fields over there? I don't eat bread. For me, wheat is ⓑof no use whatsoever. Wheat fields say nothing to me, which is sad. But you have golden hair. So it will be wonderful, once you've tamed me!"

(B) "The wheat, which is golden, will remind me ⓒof you. And I'll love the sound of the wind in the wheat." The fox fell silent and stared at the little prince for a long while. "Please, tame me! If you want a friend, tame me," he said.

(C) "So I'm rather bored. But if you ⓓwill tame me, my life will be filled with sunshine. I'll know the sound of footsteps ⓔthat will be different from all the rest. Other footsteps send me back underground. Yours will call me out of my burrow like music."

*footstep 발자국

제대로 독해법

어휘 Level Up

단어에 알맞은 우리말 뜻을 골라 그 기호를 빈칸에 쓰시오.
(뜻이 같은 단어에 한하여 중복 답 가능)

1 monotonous ....
2 hunt ....
3 wheat ....
4 whatsoever ....
  (whatever의 강조형)
5 tame ....
6 golden ....
7 remind ....
8 silent ....
9 stare ....
10 rather ....
11 bored ....
12 underground ....
13 burrow ....

ⓐ 지루해하는 ⓑ 굴, 구멍
ⓒ 황금빛의 ⓓ 사냥하다
ⓔ 단조로운 ⓕ 좀, 약간
ⓖ 생각나게 하다, 상기시키다
ⓗ 잠잠한, 조용한 ⓘ 응시하다
ⓙ 길들이다 ⓚ 땅속으로, 지하로
ⓛ 전혀 ⓜ 밀

1 이 글의 요지로 가장 적절한 것은?

① Don't hide your true feelings.

② Don't judge others by their words.

③ Remember we were born in nature.

④ Relationships make life worth living.

⑤ Childhood memories are always beautiful.

2 What is the right order to read?

① (A) — (C) — (B)

② (B) — (A) — (C)

③ (B) — (C) — (A)

④ (C) — (A) — (B)

⑤ (C) — (B) — (A)

3 밑줄 친 ⓐ~ⓔ 중에서 어법상 틀린 것을 찾아 바르게 고쳐 쓰시오.

_____ → _____

내신 Level Up

다음 영영풀이가 뜻하는 단어를 본문에서 찾아 쓰시오.

_____ : very boring because it has a regular, repeated pattern which never changes

---

구문 Level Up

2행 All chickens are just **alike**, and all men are just **alike**.

▶ alike(~와 비슷한)는 like(~와 같은)와 의미는 비슷하지만 형용사의 서술적 용법으로 쓰이며 명사 앞에 쓰지 않는다. 서술적 용법으로 쓰이는 형용사는 대부분 a로 시작한다. (awake 깨어 있는, asleep 잠든, alive 살아 있는)

[확인 문제] 괄호 안에서 알맞은 것을 고르시오.

> They say Betty and I are much (like / alike).

그들은 Betty와 내가 많이 닮았다고 말한다.

■ 나의 독해 점검표 ■

Step ❶ | 채점 결과 정리

1. 요지 추론	○ / ×
2. 순서 파악	○ / ×
3. 서술형	○ / ×

• 나의 약점 유형은? _____

Step ❷ | 독해력 점검

☐ 지문의 내용을 충분히 이해함

☐ 지문의 내용을 대체로 이해함

☐ 지문의 내용을 이해하지 못함

Step ❸ | 문제 해결력 점검

☐ 정답과 오답의 근거를 모두 찾음

☐ 정답과 오답의 근거를 대체로 찾음

☐ 정답과 오답의 근거를 찾지 못함

🎧 16-01

더 얇게, 더 짜게, 더 바삭하게

Did you know that potato chips were invented by an angry chef? A chef named George Crum was working in the summer of 1853 ⓐ where / when he invented the chip by accident. It all began when a person who ordered a plate of French-fried potatoes sent them back to Crum's kitchen.

(A) Years later, Crum opened his own restaurant that had a basket of potato chips on every table. Though Crum never attempted to patent his invention, the snack was eventually mass-produced and sold in bags — ⓑ providing / provided thousands of jobs nationwide.

(B) The customer said that they were too thick, soft, and not salty enough. To teach the picky customer a lesson, Crum sliced the potatoes as thin as he could. And then he fried them until they were hard and crispy.

(C) Finally, he added a generous amount of salt. The dish ended up ⓒ to be / being a hit with the customer and potato chips were born.

*French-fried potatoes 감자튀김　**patent 특허를 받다
***mass-produced 대량 생산된

제대로 독해법

어휘 Level Up

단어에 알맞은 우리말 뜻을 골라 그 기호를 빈칸에 쓰시오.
(뜻이 같은 단어에 한하여 중복 답 가능)

1	invent	....
2	by accident	....
3	plate	....
4	attempt	....
5	eventually	....
6	nationwide	....
7	customer	....
8	thick	....
9	salty	....
10	picky	....
11	slice	....
12	thin	....
13	crispy	....
14	generous	....
15	amount	....

ⓐ 양, 액수　ⓑ 시도; 시도하다
ⓒ 우연히　ⓓ 바삭바삭한
ⓔ 손님, 고객　ⓕ 결국
ⓖ 넉넉한, 후한[너그러운]
ⓗ 발명하다　ⓘ 전국에, 전국적으로
ⓙ 까다로운　ⓚ 접시　ⓛ 짠, 짭짤한
ⓜ (얇게) 썰다　ⓝ 두꺼운
ⓞ 얇게; 얇은, 마른

1 주어진 글 다음에 이어질 글의 순서로 가장 적절한 것은?

① (A) — (C) — (B)

② (B) — (A) — (C)

③ (B) — (C) — (A)

④ (C) — (A) — (B)

⑤ (C) — (B) — (A)

2 What is the grammatically correct one in each box ⓐ, ⓑ, and ⓒ?

	ⓐ	ⓑ	ⓒ
①	where	---- providing	---- to be
②	where	---- provided	---- to be
③	when	---- providing	---- being
④	when	---- providing	---- to be
⑤	when	---- provided	---- being

3 빈칸에 알맞은 말을 본문에서 찾아 이 글의 제목을 완성하시오.

Accidental I_____ of Potato Chips by an A_____ Chef

내신 Level Up

이 글을 읽고 알 수 없는 것은?

① Who invented potato chips?

② When were potato chips invented?

③ How were the first potato chips made?

④ In what country were potato chips created?

⑤ For what reason were potato chips created?

구문 Level Up

(B)의 2~3행 To teach the picky customer a lesson, Crum sliced the potatoes **as thin as he could**.

▶ 「as + (형용사/부사) 원급 + as + 주어 + can[could]」는 '가능한 한 ~한[하게]'의 의미로 「as + (형용사/부사) 원급 + as possible」로 바꿔 쓸 수 있다.(= as thin as possible) 여기서 thin은 동사 sliced를 수식하는 부사로 쓰였다.

[확인 문제] 다음 두 문장의 뜻이 같도록 빈칸에 알맞은 말을 쓰시오.

I am going to read as many English books as possible.
= I am going to read as many English books as _____.

나는 가능한 한 많은 영어책을 읽을 것이다.

■ 나의 독해 점검표 ■

Step ❶ | 채점 결과 정리 →

1. 순서 파악	O / X
2. 어법성 판단	O / X
3. 서술형	O / X

• 나의 약점 유형은? _____

Step ❷ | 독해력 점검 →

□ 지문의 내용을 충분히 이해함

□ 지문의 내용을 대체로 이해함

□ 지문의 내용을 이해하지 못함

Step ❸ | 문제 해결력 점검

□ 정답과 오답의 근거를 모두 찾음

□ 정답과 오답의 근거를 대체로 찾음

□ 정답과 오답의 근거를 찾지 못함

달콤한 마카롱

🎧 16-02

The french macaron is a small sandwich cookie with two layers of meringue and a sweet filling in between. In the 16th century, Italians were said to bring ⓐit to France as a party menu. At that time, ⓑit rather looked like a small single meringue cookie, which is still made in Italian bakeries today. ㉠The French macaron was invented by Louis-Ernest Ladurée, a famous patissier. He developed the two rounded meringues filled with sweet cream, based on traditional macarons. As soon as ⓒit appeared at the dessert market, ⓓit became famous and spread across the world. Today, the macaron has its own day — March 20th. ⓔIt was introduced by Pierre Hermé, a famous French cookie house, to raise money for medical research programs for those with the incurable. 'Macaron Day' is celebrated all over the world, and macaron shops may provide their customers with free samples. Remember the date and go eat some delicious sweets on that day!

*meringue 머랭(달걀 흰자위와 설탕을 섞은 것) **patissier 제빵사, 파티시에

어휘 Level Up

단어에 알맞은 우리말 뜻을 골라 그 기호를 빈칸에 쓰시오.
(뜻이 같은 단어에 한하여 중복 답 가능)

1 layer …………
2 rather …………
3 invent …………
4 develop …………
5 traditional …………
6 appear …………
7 spread …………
(spread - spread - spread)
8 raise …………
9 incurable …………
10 celebrate …………
11 provide …………
12 customer …………
13 remember …………
14 delicious …………
15 sweet …………

ⓐ (돈이나 사람을) 모으다
ⓑ 등장하다, 나타나다 ⓒ 기념하다
ⓓ 손님 ⓔ 아주 맛있는 ⓕ 개발하다
ⓖ 치유할 수 없는 ⓗ 발명하다
ⓘ 제공하다 ⓙ 오히려 ⓚ 기억하다
ⓛ 퍼지다, 확산되다 ⓜ 겹[층]
ⓝ 디저트, 단것; 달콤한 ⓞ 전통의

지칭 추론

1 밑줄 친 ⓐ ~ ⓔ 중 지칭하는 것이 다른 하나는?

① ⓐ   ② ⓑ   ③ ⓒ   ④ ⓓ   ⑤ ⓔ

 제목 추론

2 What is the best title of this passage?

① How to Celebrate 'Macaron Day'

② The History of the French Macaron

③ The Reason of Eating Macarons as Dessert

④ Comparison Between Italian and French Macarons

⑤ Why Are the French Macarons Liked over the World?

 서술형

3 Italian Macaron과 French Macaron의 모양을 본문에서 찾아 쓰시오.

(1) Italian Macaron: _____

(2) French Macaron: _____

_____

 내신 **Level Up**

밑줄 친 ㉠을 능동태 문장으로 바꿔 쓰시오.

㉠ The French macaron was invented by Louis-Ernest Ladurée.

→ _____

_____

구문 **Level Up**

2~4행 In the 16th century, **Italians were said to bring** it to France as a party menu.

▶ say(said), think, believe 등의 목적어가 that절인 경우 두 가지 수동태로 바꿔 쓸 수 있다.

① that절의 주어를 전체 문장의 주어로 하여 「주어+be동사+said[thought, believed 등]+to부정사」 형태의 수동태를 만들 수 있다. 이때 that절의 동사는 to부정사로 바뀐다.

② 가주어 It을 문장 앞에 놓고 that절을 뒤로 보내 「It is[was] said[thought, believed 등] that+주어+동사 ~」 형태의 수동태를 만들 수 있다.

(→ It was said that Italians brought it to France as a party menu.)

[확인 문제] 다음 문장을 수동태로 바꿔 쓰시오.

They said that the car was in a good condition.

→ The car was said _____ in a good condition.

→ It _____ that the car was in a good condition.

그들은 그 차가 상태가 좋다고 말했다.
→ 그 차는 상태가 좋다고 했다.

■ 나의 독해 점검표 ■

Step ❶ | 채점 결과 정리

1. 지칭 추론	O / X
2. 제목 추론	O / X
3. 서술형	O / X

• 나의 약점 유형은? _____

Step ❷ | 독해력 점검

☐ 지문의 내용을 충분히 이해함

☐ 지문의 내용을 대체로 이해함

☐ 지문의 내용을 이해하지 못함

Step ❸ | 문제 해결력 점검

☐ 정답과 오답의 근거를 모두 찾음

☐ 정답과 오답의 근거를 대체로 찾음

☐ 정답과 오답의 근거를 찾지 못함

어휘 테스트

A 사진을 보고, 빈칸에 알맞은 단어를 골라 쓰시오.

> bored   firewood   hunt   sliced   stared   wheat

1 The chief ordered his tribe to collect lots of _____.

2 I _____ chickens.

3 You see the _____ fields over there?

4 The fox _____ at the little prince for a long while.

5 I'm rather _____.

6 Crum _____ the potatoes as thin as he could.

B 다음 각 단어에 해당하는 의미를 짝지으시오.

1 predict   •

    • ⓐ to say that an event or action will happen in the future

2 burrow   •

    • ⓑ to try to do something, especially something difficult

3 attempt   •

    • ⓒ a hole in the ground dug by an animal such as a rabbit

음식에서 유래한 재미있는 영어 표현

bring home the bacon

'베이컨을 집으로 가져오다' 이 표현은 어떤 뜻일까요?
베이컨은 식사 때 자주 먹는 메뉴 중 하나로, 가족들이 좋아하는
베이컨을 집으로 가져온다는 말속에는 '밥벌이를 하다'라는 뜻이
있습니다.

walk on eggs

'계란 위를 걷다' 이 표현은 어떤 뜻일까요?
계란 위를 걸으려면 정말 조심조심 해야겠죠. 그래서 walk on
eggs는 '조심스럽게 행동하다'라는 뜻을 가지고 있습니다.

have bigger fish to fry

'튀겨야 할 더 큰 생선을 가지고 있다' 이 표현은 어떤 뜻일까요?
누군가 작은 생선 손질을 부탁했을 때 '나는 요리해야 할 더 큰 생
선이 있어.'라고 대답한다면 내가 지금 해야 할 더 중요한 일이 있
어서 도와줄 수 없다는 뜻이겠죠. 그래서 have bigger fish to fry
는 '해야 할 더 중요한 일이 있다'라는 뜻을 가집니다.

Chapter

9

Technology 기술

▷▶ 다음 단어의 뜻을 추측해 보고, 알고 있는 단어에 ✔표시를 하시오.

☐ compare

☐ security

☐ entertaining

☐ virtual reality

☐ explore

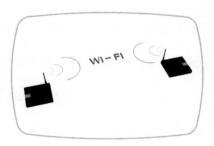

☐ wireless

☐ disability

☐ path

☐ lab

내 얼굴에 다 있다?

17-01

Imagine you are walking down the street and a stranger snaps your photo with his smartphone. He uses a facial recognition app and within minutes, he knows your name, age, job, and, what's more, where you were born. (ⓐ) Do you think ㉠it's a scene from a movie? Think again. It's possible. Computers are beginning to recognize faces. (ⓑ) What recognition systems measure is things like the size and position of a nose and the distance between the eyes. (ⓒ) The software compares many images to identify the person. Facial recognition programs are used in police and security operations. (ⓓ) But, they are increasingly popular in other uses, including social media sites. Many individuals share a tremendous amount of information about themselves online. As facial recognition software improves, (A) 이러한 개인적인 정보를 당신과 연결하는 것이 쉬워질 것이다 just by taking your photo. (ⓔ)

제대로 독해법

어휘 Level Up

단어에 알맞은 우리말 뜻을 골라 그 기호를 빈칸에 쓰시오.
(뜻이 같은 단어에 한하여 중복 답 가능)

1 snap ....
2 facial ....
3 recognition ....
4 recognize ....
5 measure ....
6 position ....
7 compare ....
8 identify ....
9 security ....
10 operation ....
11 increasingly ....
12 include ....
13 individual ....
14 tremendous ....
15 improve ....

ⓐ 비교하다　ⓑ 얼굴의　ⓒ 확인하다
ⓓ 향상시키다　ⓔ 포함하다
ⓕ 점점 더　ⓖ 사람, 개인; 개인의
ⓗ 측정하다　ⓘ 업체, 기업
ⓙ 엄청난　ⓚ 위치　ⓛ 인식
ⓜ 인식하다　ⓝ 보안　ⓞ 사진을 찍다

내용 일치

1 이 글의 내용과 일치하지 <u>않는</u> 것은?

① 얼굴 인식 앱을 사용하면 사진만으로 누군가의 직업을 알 수도 있다.

② 얼굴 인식 프로그램은 특정인을 구분해내기 위해 많은 사진들을 비교한다.

③ 경찰은 얼굴 인식 프로그램을 이미 사용하고 있다.

④ 개인이 얼굴 인식 프로그램을 사용하는 것은 법으로 금지되어 있다.

⑤ 많은 사람들이 온라인상에서 자신의 정보를 공유하고 있다.

문장 삽입

2 Where would the following sentence best fit?

> In this way, facial recognition software threatens people's privacy.

① ⓐ   ② ⓑ   ③ ⓒ   ④ ⓓ   ⑤ ⓔ

서술형

3 밑줄 친 (A)의 우리말에 맞게 주어진 단어들을 배열하시오.

> this / easier / to / link / personal / information / to / it / you / be / will

단지 당신의 사진을 찍는 것만으로도 (A) <u>이러한 개인적인 정보를 당신과 연결하는 것이 쉬워질 것이다.</u>

→ _____ just by taking your photo.

내신 Level Up

밑줄 친 ㉠it이 가리키는 것을 본문에서 찾아 우리말로 쓰시오.

_____

_____

_____

구문 Level Up

마지막 문장 **As** facial recognition software improves, ~.

▶ 접속사 as는 '이유(~ 때문에), 시간(~할 때), 비례(~함에 따라, ~할수록), 양태(~하듯이, ~ 대로)' 등의 다양한 뜻으로 쓰인다. 여기서 As는 '~함에 따라(비례)'의 뜻으로 쓰였다.

[확인 문제] 다음 문장의 밑줄 친 부분을 우리말로 해석하시오.

1. Jason cut in suddenly <u>as she was talking.</u>
→ Jason은 _____ 갑자기 끼어들었다.

2. <u>As I don't like meat,</u> I usually have vegetables.
→ _____ 보통 채소를 먹는다.

■ 나의 독해 점검표 ■

Step ❶ | 채점 결과 정리　

1. 내용 일치	O / X
2. 문장 삽입	O / X
3. 서술형	O / X

• 나의 약점 유형은? _____

Step ❷ | 독해력 점검　

☐ 지문의 내용을 충분히 이해함

☐ 지문의 내용을 대체로 이해함

☐ 지문의 내용을 이해하지 못함

Step ❸ | 문제 해결력 점검

☐ 정답과 오답의 근거를 모두 찾음

☐ 정답과 오답의 근거를 대체로 찾음

☐ 정답과 오답의 근거를 찾지 못함

영화 스토리를 직접 선택할 수 있는 세상

17-02

Have you ever been annoyed or disappointed by the ending in the movies you watched? In the near future, you won't. The use of interaction technology devices (A) give / gives us a great ability to decide the flow of the movie. Traditionally, the audience couldn't take part in the story development. ⓐHowever, the story can be selected and changed thanks to Internet technology. ⓑThis entertaining system also makes (B) it / that possible for viewers to become the main character in a movie with a first-person experience. ⓒFor example, if you (C) are / were a girl who is asked out by her friend, you would accept or reject it by interacting with the screen. ⓓSome people may be confused because they cannot distinguish between virtual reality and reality. ⓔI believe that this approach would allow the movie industry to explore new genres and please the audience more.

*first-person 1인칭(의)

1 ⓐ ~ ⓔ 중에서 글의 전체 흐름과 관계<u>없는</u> 문장은?

① ⓐ　　　② ⓑ　　　③ ⓒ　　　④ ⓓ　　　⑤ ⓔ

2 What is the grammatically correct one in each box (A), (B), and (C)?

	(A)	(B)	(C)
①	gives	it	were
②	gives	that	were
③	give	that	are
④	give	that	were
⑤	gives	it	are

3 새로운 영화 기술의 특징을 본문에서 찾아 빈칸을 완성하시오.

Thanks to the interaction technology with the movie, Viewers can (1) _____ or (2) _____ the story of the movie. They also can be (3) _____ in the movie with a first person experience.

내신 Level Up

상호 작용 기술 기기의 사용으로 영화에서 관객이 경험할 수 있는 변화 두 가지를 본문에서 찾아 우리말로 쓰시오.

(1) _____
_____

(2) _____
_____

구문 Level Up

9~11행 For example, **if you were** a girl who is asked out by her friend, **you would accept or reject** it by interacting with the screen.

▶ 가정법 과거는 「if + 주어 + 동사의 과거형/were, 주어 + 조동사의 과거형 + 동사원형」의 형태로 현재 사실과 반대되는 가정이나 가능성이 없는 상상을 나타낸다.

[확인 문제] 괄호 안에서 알맞은 것을 고르시오.

If I (know / knew) her email address, I would send an email to her.

만약 내가 그녀의 이메일 주소를 안다면, 나는 그녀에게 이메일을 보낼 텐데.

■ 나의 독해 점검표 ■

Step ❶ | 채점 결과 정리

1. 무관한 문장	O / X
2. 어법성 판단	O / X
3. 서술형	O / X

• 나의 약점 유형은? _____

Step ❷ | 독해력 점검

□ 지문의 내용을 충분히 이해함
□ 지문의 내용을 대체로 이해함
□ 지문의 내용을 이해하지 못함

Step ❸ | 문제 해결력 점검

□ 정답과 오답의 근거를 모두 찾음
□ 정답과 오답의 근거를 대체로 찾음
□ 정답과 오답의 근거를 찾지 못함

블루투스 이어폰이 건강을 해친다?

18-01

Experts recommend people to reduce their use of bluetooth earphones. Some argue that a long-term use of bluetooth devices would possibly (A) benefit / harm our health. Then, how serious is this? If you use a smartphone every day, it is (B) natural / strange to worry about the risk of these earphones. Bluetooth devices are believed to give off 90% less radiation than smartphones. That is, if you use them for phone conversation, you get much less influence than _____. Of course, if you use them for hours a day to listen to music, the influence gets (C) stronger / weaker. If you are still cautious about the harmful effect, you may remove them from your ears when not in use. Or more simply, you can change wireless earphones into wired ones.

*bluetooth 블루투스   **radiation 방사선

제대로 독해법

어휘 Level Up

단어에 알맞은 우리말 뜻을 골라 그 기호를 빈칸에 쓰시오.
(뜻이 같은 단어에 한하여 중복 답 가능)

1	expert	....
2	recommend	....
3	reduce	....
4	argue	....
5	long-term	....
6	benefit	....
7	harm	....
8	risk	....
9	give off	....
10	influence	....
11	cautious	....
12	harmful	....
13	effect	....
14	wireless	....
15	wired	....

ⓐ 주장하다 ⓑ 유익하다
ⓒ 조심스러운 ⓓ 영향 ⓔ 전문가
ⓕ 내다, 뿜어내다
ⓖ 해치다, 해를 끼치다 ⓗ 해로운
ⓘ 장기적인 ⓙ 권고하다, 추천하다
ⓚ 줄이다 ⓛ 위험 ⓜ 유선의
ⓝ 무선의; 무선

1 이 글의 빈칸에 들어갈 말로 가장 적절한 것은?

① talking with others in person

② using the wired telephone at home

③ holding the phone up to your head

④ using the wired earphones for the call

⑤ using the phone with the speaker mode

내신 Level Up

다음 영영풀이가 뜻하는 단어를 본문에서 찾아 쓰시오.

_____ : to produce heat, light, a smell, or a gas

2 What is the best word in each box (A), (B), and (C) according to this passage?

(A)	(B)	(C)
① benefit	natural	stronger
② harm	strange	weaker
③ benefit	strange	weaker
④ harm	strange	stronger
⑤ harm	natural	stronger

구문 Level Up

6~7행 Bluetooth devices are believed to give off 90% **less radiation than** smartphones.

▶ less radiation than은 「less + 명사 + than」의 형태로 '~보다 양이 더 적은 (명사)'의 뜻이다. 「more + 명사+than」은 '~보다 많은 (명사)'를 의미하고, 「fewer+명사+than」은 '~보다 수가 적은 (명사)'를 의미한다.

[확인 문제] 다음 두 문장의 의미를 포함하도록 주어진 단어를 사용하여 문장을 완성하시오.

I have 150 dollars. You have 100 dollars.
→ I have _____ money _____ you have. (much)

나는 150달러를 가지고 있다. 너는 100달러를 가지고 있다.
→ 나는 네가 가진 것보다 더 많은 돈을 가지고 있다.

3 블루투스 이어폰이 우리 몸에 미치는 나쁜 영향을 줄이는 방법 두 가지를 본문에서 찾아 영어로 쓰시오.

(1) _____

(2) _____

■ 나의 독해 점검표 ■

Step ❶ | 채점 결과 정리 →

1. 빈칸 추론	○ / X
2. 어휘 파악	○ / X
3. 서술형	○ / X

• 나의 약점 유형은? _____

Step ❷ | 독해력 점검 →

□ 지문의 내용을 충분히 이해함
□ 지문의 내용을 대체로 이해함
□ 지문의 내용을 이해하지 못함

Step ❸ | 문제 해결력 점검

□ 정답과 오답의 근거를 모두 찾음
□ 정답과 오답의 근거를 대체로 찾음
□ 정답과 오답의 근거를 찾지 못함

Day 18 Reading 01 **111**

상상이 현실이 되다

18-02

Since the 1970s, scientists have been searching for ways to link the human brain with computers. Brain Computer Interface could help people with disabilities send commands to machines. ⓐWhat researchers have recently designed is a special cap. ⓑThis head cover captures the signals from the scalp and redirects them to a computer. The computer interprets the signals and controls a motorized wheelchair. The wheelchair also has two cameras that identify objects in its path. ⓒThey help the computer react to commands from the brain. ⓓThe human brain is more complex than any other known structure in the universe. Trying to bring this technology out of the lab, they have set two goals. ⓔThe first goal is testing with real patients, so as to demonstrate this is a technology from which they can benefit. And the second is to guarantee they can use the technology over long periods of time.

*Brain Computer Interface(BCI) 뇌-컴퓨터 인터페이스
**scalp 두피 ***motorized wheelchair 전동 휠체어

제대로 독해법

어휘 Level Up

단어에 알맞은 우리말 뜻을 골라 그 기호를 빈칸에 쓰시오.
(뜻이 같은 단어에 한하여 중복 답 가능)

1 disability   ....
2 command   ....
3 recently   ....
4 design   ....
5 capture   ....
6 redirect   ....
7 interpret   ....
8 identify   ....
9 object   ....
10 path   ....
11 react   ....
12 lab   ....
13 demonstrate   ....
14 benefit   ....
15 guarantee   ....

ⓐ 이익을 얻다 ⓑ ~을 포착하다
ⓒ 명령 ⓓ 입증하다 ⓔ 고안하다
ⓕ 장애 ⓖ 보증하다, 보장하다
ⓗ 확인하다 ⓘ 다시 보내다
ⓙ 해석하다 ⓚ 실험실 ⓛ 물체, 물건
ⓜ (사람·사물이 나아가는) 길
ⓝ 반응하다 ⓞ 최근에

1 이 글의 제목으로 가장 적절한 것은?

① Necessity of Technology for Humans

② The Quality of the Computer Software

③ Difficulties in Bringing Technologies out of Labs

④ The Possibility of Curing People with Disabilities

⑤ Technology of Brain Computer Interface and Its Use

2 What is the unrelated sentence in ⓐ ~ ⓔ according to this passage?

① ⓐ   ② ⓑ   ③ ⓒ   ④ ⓓ   ⑤ ⓔ

3 기술의 상용화를 위한 과학자들의 두 가지 목표를 본문에서 찾아 빈칸을 완성하시오.

(1) _____

(2) _____

내신 Level Up

이 글의 내용과 일치하도록 빈칸에 알맞은 말을 쓰시오.

> A special cap captures the signals from the (1)_____.

↓

> It redirects signals to a computer.

↓

> The computer interprets the (2)_____.

↓

> It (3)_____ a motorized wheelchair.

구문 Level Up

첫 번째 문장 Since the 1970s, scientists **have been searching** for ways to link the human brain with computers.

▶ 현재완료진행시제는 「have/has + been + -ing」의 형태로 '(계속) ~해오고 있다'라는 의미를 나타낸다.

[확인 문제] 주어진 단어를 사용하여 현재완료진행 문장을 완성하시오.

> I _____ this website since 1999. (run)

나는 1999년부터 이 웹사이트를 운영해오고 있다.

■ 나의 독해 점검표 ■

Step ❶ | 채점 결과 정리 →

1. 제목 추론	O / X
2. 무관한 문장	O / X
3. 서술형	O / X

• 나의 약점 유형은? _____

Step ❷ | 독해력 점검 →

☐ 지문의 내용을 충분히 이해함

☐ 지문의 내용을 대체로 이해함

☐ 지문의 내용을 이해하지 못함

Step ❸ | 문제 해결력 점검

☐ 정답과 오답의 근거를 모두 찾음

☐ 정답과 오답의 근거를 대체로 찾음

☐ 정답과 오답의 근거를 찾지 못함

▶ 해설편 p.36

어휘 테스트

A 사진을 보고, 빈칸에 알맞은 단어를 골라 쓰시오.

compares	explore	path	security	virtual reality	wireless

1 The software _____ many images to identify the person.

2 Facial recognition programs are used in police and _____ operations.

3 They cannot distinguish between _____ and reality.

4 This approach would allow the movie industry to _____ new genres.

5 You can change _____ earphones into wired ones.

6 Two cameras identify objects in its _____.

B 다음 각 단어에 해당하는 의미를 짝지으시오.

1 snap •

• ⓐ to notice or understand the difference between two or more things or people

2 distinguish •

• ⓑ to take a photograph quickly

3 wired •

• ⓒ connected to a computer or other device by a wire

얼굴 인식 기술, 어디까지 가능한가?

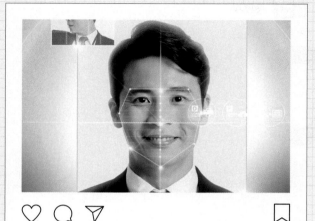

♡ ◯ ◁   ⊓

보안 / 감시

얼굴 인식 기술이 가장 많이 쓰이는 분야는 보안 / 감시 분야로
일부 공항이나 카지노, 경기장 등에서 사용되고 있습니다. 또한
건물 출입구에 설치해 출입자를 통제하기도 하고, 범죄 용의자를
찾아서 체포하는 등 공공 안전 분야에서도 쓰이고 있습니다.

♡ ◯ ◁   ⊓

신원 확인

특히 출입국 심사 분야에서 신원 확인용으로 많이 쓰이고 있습니
다. 미국 국토안보부(DHS)는 여행자의 신원을 확인하는 서비스
를 만들고 있으며, 상하이 홍차오 공항 국내에서는 얼굴 인식 무
인 출입 심사 서비스를 운영하고 있습니다. 인천 공항과 베이징
신공항에서도 얼굴 인식만으로 출입국 심사를 마치는 시스템을
도입할 계획입니다.

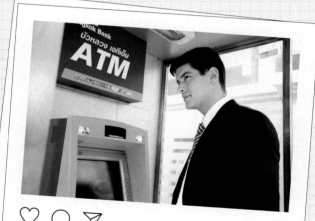

♡ ◯ ◁   ⊓

은행 / 간편 결제

중국 HSBC 은행에서는 얼굴 인식만으로 계좌 개설이 가능한 앱
을 내놓기도 했고, 중국 농업 은행 등 50여 개 은행에서는 얼굴
인식으로 돈을 뽑을 수 있는 ATM 기기도 도입하고 있습니다. 무
인 편의점이나 알리페이 같은 간편 결제 서비스를 이용할 때 얼
굴 인식을 통해 결제하는 서비스도 중국에서 이미 제공되고 있습
니다.

Chapter

10

World 세계

▷ ▶ 다음 단어의 뜻을 추측해 보고, 알고 있는 단어에 ✔표시를 하시오.

☐ cathedral

☐ attic

☐ put out

☐ construction

☐ donation

☐ landscape

☐ Thailand

☐ wealthy

☐ high-rise

노트르담 대성당 화재 사건

 19-01

The 850-year-old Notre Dame Cathedral, the masterpiece of Gothic building structure, was burnt down all of a sudden.

(A) Firewalls and sprinkler systems were missing from the attic, because they were not allowed there to preserve its original design. Fortunately, the firefighters successfully put out the fire within hours, and a third of the building still remains.

(B) @The fire started one evening, shortly before the cathedral closed and grew fast by wind. ⓑThe construction site next to the building was suspected as the starting point. However, the fire was actually in the attic and the guard at first reported that there was no fire, wasting precious time. The police said that the fire-prevention safeguards hadn't worked well.

(C) ⓒThe president of France promised to rebuild the landmark and make up for its weak point. ⓓThe more that remains, the easier the reconstruction is. ⓔDonations have been brought in from millionaires and charity groups all over the world to rebuild the invaluable heritage.

*Gothic 고딕 양식의　**firewall 방화벽　***landmark 명소, 유적

1 ⓐ ~ ⓔ 중에서 글의 전체 흐름과 관계<u>없는</u> 문장은?

① ⓐ   ② ⓑ   ③ ⓒ   ④ ⓓ   ⑤ ⓔ

2 What is the right order to read?

① (A) — (C) — (B)   ② (B) — (A) — (C)

③ (B) — (C) — (A)   ④ (C) — (A) — (B)

⑤ (C) — (B) — (A)

3 성당 다락방에 화재 예방 안전장치가 설치되지 않은 이유를 본문에서
찾아 우리말로 쓰시오.

_____

내신 Level Up

이 글의 내용과 일치하면 T, 일치하지
않으면 F에 ✓ 표시를 하시오.

(1) T F
노트르담 대성당은 고딕 양식 건축물이다.
(2) T F
다락에 설치된 방화벽과 스프링클러 시
스템이 작동하지 않았다.
(3) T F
건물의 3분의 1이 타 버렸다.

구문 Level Up

(C)의 2~3행 **The more** that remains,
the easier the reconstruction is.

▶ 「The 비교급(+주어+동사), the 비교급
(+주어+동사)」는 '~할수록 점점 더 …
한'의 의미로, 「As+주어+동사+비교
급, 주어+동사+비교급」의 형태로 바꿔
쓸 수 있다. (→ As that remains more,
the reconstruction is easier.)

[확인 문제] 다음 두 문장의 뜻이 같도록
빈칸에 알맞은 말을 쓰시오.

> As she stayed abroad longer, she
> missed her family more.
> → _____ she stayed abroad,
> _____ she missed her
> family.

그녀가 외국에 더 오래 있을수록, 그녀는
가족을 더 많이 그리워했다.

■ 나의 독해 점검표 ■

Step ❶ | 채점 결과 정리

1. 무관한 문장	○ / ×
2. 순서 파악	○ / ×
3. 서술형	○ / ×

• 나의 약점 유형은? _____

➡ **Step ❷ | 독해력 점검**

☐ 지문의 내용을 충분히 이해함
☐ 지문의 내용을 대체로 이해함
☐ 지문의 내용을 이해하지 못함

➡ **Step ❸ | 문제 해결력 점검**

☐ 정답과 오답의 근거를 모두 찾음
☐ 정답과 오답의 근거를 대체로 찾음
☐ 정답과 오답의 근거를 찾지 못함

친환경 섬, 하와이 라나이

🎧 19-02

Lanai is the sixth biggest island in Hawaii and has only about 3,000 population. ㉠관광객들이 이 섬을 방문하는 데 오랜 시간이 걸린다. So it is (A) considering / considered a good place to hide from the world. However, it is not only meant to be a hideaway but it is quite attractive. Full of beautiful landscapes with emerald-colored ocean, the island proudly presents untouched nature itself. Actually, it is sometimes called "Dream Island." That's why Bill Gates, one of the richest (B) man / men ever, had a private wedding ceremony here. Recently, Larry Ellison, the rich man who inspired the character of Tony Stark, *Iron Man*, bought 98 percent of this island to make a true paradise. He is trying to change it to generate more fresh water for eco-friendly farms and (C) allow / allows only electric cars all over the island. If his plan comes true, this place will become a role model of sustainable development.

*hideaway 은신처

제대로 독해법

어휘 Level Up

단어에 알맞은 우리말 뜻을 골라 그 기호를 빈칸에 쓰시오.
(뜻이 같은 단어에 한하여 중복 답 가능)

1	population	…………
2	consider	…………
3	attractive	…………
4	landscape	…………
5	proudly	…………
6	present	…………
7	untouched	…………
8	private	…………
9	inspire	…………
10	paradise	…………
11	generate	…………
12	eco-friendly	…………
13	sustainable	…………
14	development	…………

ⓐ ~로 여기다 ⓑ 개발, 발달
ⓒ 친환경적인
ⓓ 만들어 내다, 발생시키다
ⓔ 영감을 주다 ⓕ 풍경 ⓖ 천국
ⓗ 인구 ⓘ 보여 주다
ⓙ 개인적인, 사적인 ⓚ 자랑스럽게
ⓛ 지속 가능한 ⓜ 매력적인
ⓝ 본래 그대로의

1 (A), (B), (C)의 각 네모 안에서 어법에 맞는 표현으로 가장 적절한 것은?

 (A) (B) (C)

① considering ---- men ---- allows

② considering ---- man ---- allows

③ considered ---- man ---- allow

④ considered ---- men ---- allow

⑤ considered ---- men ---- allows

2 What is the best choice for the blanks (A) and (B) according to this passage?

Lanai Island is a far but a/an ____(A)____ place for most tourists, and a rich person wants to change it into a place with ____(B)____.

 (A) (B)

① unattractive ---- tourist attractions

② unattractive ---- better transportations

③ attractive ---- developed economy

④ attractive ---- sustainable development

⑤ hidden ---- famous spots

3 밑줄 친 ㉠의 우리말에 맞게 주어진 단어들을 배열하시오.

It / to visit / a very long time / for tourists / takes / this island

㉠ 관광객들이 이 섬을 방문하는 데 오랜 시간이 걸린다.

→ _____

내신 Level Up

다음 영영풀이가 뜻하는 단어를 본문에서 찾아 쓰시오.

_____ : causing little or no damage to the environment and therefore able to continue for a long time

구문 Level Up

마지막문장 If his plan **comes** true, this place **will become** a role model of sustainable development.

▶ 조건 부사절(If his plan comes true)에서는 현재시제가 미래를 나타낸다. (If his plan will come true → ×)

[확인 문제] 다음 두 문장이 같은 뜻이 되도록 빈칸에 알맞은 말을 쓰시오.

Do your best, and you will win another medal.
→ If you _____, you will win another medal.

최선을 다해라, 그러면 너는 또 다른 메달을 딸 것이다.
→ 최선을 다하면, 너는 또 다른 메달을 딸 것이다.

■ 나의 독해 점검표 ■

Step ❶ | 채점 결과 정리

1. 어법성 판단	○ / ×
2. 요약문 완성	○ / ×
3. 서술형	○ / ×

• 나의 약점 유형은? _____

Step ❷ | 독해력 점검

☐ 지문의 내용을 충분히 이해함
☐ 지문의 내용을 대체로 이해함
☐ 지문의 내용을 이해하지 못함

Step ❸ | 문제 해결력 점검

☐ 정답과 오답의 근거를 모두 찾음
☐ 정답과 오답의 근거를 대체로 찾음
☐ 정답과 오답의 근거를 찾지 못함

코끼리의 날

20-01

March 13th is a very special day in Thailand. It is called "National Elephant Day." On this day, a big festival for elephants takes place and the animals are treated like royalty. First, they are well-dressed. Then they are blessed with holy water by a professional elephant trainer. (ⓐ) They are also served a lot of delicious food, such as bananas, melons, and pineapples. (ⓑ) This event is held for a whole week. (ⓒ) During the event, people in Thailand show all their respects to the elephants. (ⓓ) The number of elephants in Thailand has decreased from over 100,000 to just 3,000~4,000. (ⓔ) It resulted from the destruction of their natural habitat and illegal poaching. The _____ of elephants and their habitat is needed, so the event was started.

*poaching 포획

제대로 독해법

어휘 Level Up

단어에 알맞은 우리말 뜻을 골라 그 기호를 빈칸에 쓰시오.
(뜻이 같은 단어에 한하여 중복 답 가능)

1 Thailand ....
2 national ....
3 take place ....
4 treat ....
5 royalty ....
6 bless ....
7 holy ....
8 professional ....
9 whole ....
10 respect ....
11 decrease ....
12 result ....
13 destruction ....
14 natural ....
15 habitat ....
16 illegal ....

ⓐ 축복을 빌다
ⓑ (크기·수 등이) 줄다 ⓒ 파괴
ⓓ 서식지 ⓔ 성스러운 ⓕ 불법적인
ⓖ 전국적인, 국가의 ⓗ 자연의
ⓘ 전문적인 ⓙ 존경(심)
ⓚ (~의 결과로) 생기다 ⓛ 왕족
ⓜ 열리다, 개최되다 ⓝ 태국
ⓞ 대우하다 ⓟ 전체의, 모든

1 글의 흐름으로 보아, 주어진 문장이 들어가기에 가장 적절한 곳은?

> In fact, this event was begun to draw public attention to the elephants in danger.

① ⓐ   ② ⓑ   ③ ⓒ   ④ ⓓ   ⑤ ⓔ

내신 Level Up

'National Elephant Day'에 관한 글의 내용과 일치하지 _않는_ 것은?

① 3월 13일에 태국에서 열리는 코끼리를 위한 큰 축제이다.
② 코끼리들은 왕족처럼 대우를 받는다.
③ 사람들은 코끼리들에게 많은 맛있는 음식을 준다.
④ 이 행사는 3일 동안 계속된다.
⑤ 사람들은 코끼리에 대한 그들의 존경심을 보인다.

2 What is the best choice for the blank?

① relation   ② addition   ③ invention
④ destruction   ⑤ conservation

구문 Level Up

9~11행 The number of elephants in Thailand *has* decreased from over 100,000 to just 3,000~4,000.

▶ 「the number of+복수명사」는 '~의 수'라는 뜻으로 단수 취급한다. '많은'의 뜻을 갖는 a number of와 구별해서 쓰도록 유의한다.

[확인 문제] 괄호 안에서 알맞은 것을 고르시오.

> The number of people in the airplane (is / are) three hundred.

비행기 안에 있는 사람들의 수는 300명이다.

3 다음 질문에 알맞은 답을 주어진 단어들 중에서 골라 빈칸에 쓰시오.

> import   protect   decrease   sightsee

Q: Why is "National Elephant Day" celebrated in Thailand?
A: Because people in Thailand want to _____ elephants.

■ 나의 독해 점검표 ■

Step ❶ | 채점 결과 정리

1. 문장 삽입	O / X
2. 빈칸 추론	O / X
3. 서술형	O / X

• 나의 약점 유형은? _____

Step ❷ | 독해력 점검

□ 지문의 내용을 충분히 이해함
□ 지문의 내용을 대체로 이해함
□ 지문의 내용을 이해하지 못함

Step ❸ | 문제 해결력 점검

□ 정답과 오답의 근거를 모두 찾음
□ 정답과 오답의 근거를 대체로 찾음
□ 정답과 오답의 근거를 찾지 못함

20-02

세계에서 가장 많이 기울어진 타워는?

Abu Dhabi is one of the wealthiest (A) city / cities in the world and is known for its modern architectural wonders. Here are some of the high-rise buildings to see when you travel here. First is the Capital Gate. When it comes to a leaning tower, you might think of the world-famous Leaning Tower of Pisa first. But now think about the Capital Gate! This architectural miracle leans an 18 degrees, which means it is about four times more inclined than the Pisa (which only has a 4 degree lean). This (B) 35-story / 35-stories building looks like it bends with the desert winds. Basically, the Capital Gate is a hotel and is recognized by Guinness World Records as the world's farthest leaning man-made tower. Second is the Aldar HQ Building, (C) which / that is the world's first circular skyscraper. This commercial office building looks like a huge shining coin standing vertically in a desert. It is a high metal structure with diagonal grids of steel and got nicknamed the 'coin building.'

*skyscraper 고층 건물 **grid 격자무늬

1 이 글의 내용과 일치하지 <u>않는</u> 것은?

① Abu Dhabi는 현대적인 건축물들로 유명하다.

② Capital Gate는 Leaning Tower of Pisa보다 4도 정도 더 기울어져 있다.

③ Abu Dhabi에는 기네스북에 오른 기울어진 건물이 있다.

④ Aldar HQ Building은 상업적 사무용 건물로 만들어진 것이다.

⑤ Abu Dhabi에는 동전 모양처럼 생긴 고층 건물이 있다.

2 What is the grammatically correct one in each box (A), (B), and (C)?

(A)	(B)	(C)
① city	35-story	which
② city	35-stories	that
③ cities	35-story	which
④ cities	35-story	that
⑤ cities	35-stories	which

3 이 글의 내용과 일치하도록 빈칸에 알맞은 말을 주어진 단어들 중에서 골라 쓰시오.

> circular   leaning   square   glass

Capital Gate is a (1)_____ tower, which is often compared with the Tower of Pisa. Aldar HQ Building is known for its (2)_____ shape and got the nickname, 'coin building.'

내신 Level Up

이 글의 제목으로 가장 적절한 것은?

① The beauty of Abu Dhabi

② Information about Abu Dhabi

③ Surprising Architectures in Abu Dhabi

④ The Principle of Building Construction

⑤ The Difficulties in Modern Architecture

구문 Level Up

3~4행 **Here are** *some of the high-rise buildings* to see when you travel here.

▶ 「here + 동사 + 주어 ~」의 도치 구문은 상대방의 주목을 유도하고 싶을 때 사용한다. 주어(some of the high-rise buildings)가 복수이므로 복수동사 are가 온다. 단, 주어가 대명사일 때는 도치가 일어나지 않아 「here + 주어(대명사) + 동사」의 형태로 쓴다.

[확인 문제] 괄호 안에서 알맞은 것을 고르시오.

Here (he comes / comes he).

그가 여기로 오고 있다.

■ 나의 독해 점검표 ■

Step ❶ | 채점 결과 정리

1. 내용 일치	O / X
2. 어법성 판단	O / X
3. 서술형	O / X

• 나의 약점 유형은? _____

Step ❷ | 독해력 점검

□ 지문의 내용을 충분히 이해함

□ 지문의 내용을 대체로 이해함

□ 지문의 내용을 이해하지 못함

Step ❸ | 문제 해결력 점검

□ 정답과 오답의 근거를 모두 찾음

□ 정답과 오답의 근거를 대체로 찾음

□ 정답과 오답의 근거를 찾지 못함

어휘 테스트

A 사진을 보고, 빈칸에 알맞은 단어를 골라 쓰시오. (대·소문자 변화 가능)

attic   construction   donations   high-rise   put out   Thailand

1 Sprinkler systems were missing from the _____.

2 The firefighters successfully _____ the fire within hours.

3 The _____ site was suspected as the starting point.

4 _____ have been brought in from millionaires.

5 It is a very special day in _____.

6 Here are some of the _____ buildings.

B 다음 각 단어에 해당하는 의미를 짝지으시오.

1 population   •   • ⓐ the natural environment in which an animal or plant usually lives

2 royalty   •   • ⓑ the people who belong to the family of a king and queen

3 habitat   •   • ⓒ all the people living in a particular country, area, or place

간단하게 유럽의 건축 양식 구분하기

고딕

대부분의 고딕 양식 건축물은 창문이 길쭉하고 뾰족한 모양입니다. 대표적인 건축물로는 파리의 노트르담 드 파리 대성당(프랑스어: Notre-Dame de Paris), 독일의 쾰른 대성당(독일어: Kölner Dom), 영국의 솔즈베리 대성당(Salisbury Cathedral) 등이 있습니다.

르네상스

대부분의 르네상스 양식 건축물은 좌우 대칭이며 창문의 모양이 아치인데 얇게 보이고 건물에 동글동글한 장식과 비슷한 모양의 지붕이 있습니다. 피렌체의 산타마리아 노벨라 성당(이탈리아어: Basilica di Santa Maria Novella)의 지붕처럼 아기자기하고 아름다운 지붕은 전 유럽에 유행이 되어 많이 퍼져 나갔습니다.

바로크

대부분의 바로크 양식 건축물은 역동적이고 화려한 조각상을 건물의 전면이나 곳곳에 장식해 놓은 것이 특징입니다. 또 벽면의 장식이 불규칙적인 곡선과 곡면을 많이 이용해 아주 화려하다면 바로크 양식으로 간주해도 됩니다. 대표적인 건축물로는 로마의 트레비 분수(이탈리아어: Fontana di Trevi), 프랑스의 베르사유 궁전(프랑스어: Château de Versailles), 바티칸의 성 베드로 성당 (이탈리아어: Basilica di San Pietro in Vaticano) 등이 있습니다.

Grammar
List

흥미로운 영어 책으로 독해 공부 제대로 하자!

중학 영어
독해 **+** 내신

READING
적중! 영어독해

110 ~ 130 words
대상: 초등 고학년, 중1

120 ~ 140 words
대상: 중1, 중2

130 ~ 150 words
대상: 중2, 중3

적중! 영어독해 특징

- 다양하고 재미있는 소재의 지문
- 다양한 어휘 테스트(사진, 뜻 찾기, 문장 완성하기, 영영풀이)
- 풍부한 독해 문제(다양한 유형, 영어 지시문, 서술형, 내신형)
- 전 지문 구문 분석 제공
- 꼭 필요한 학습 부가 자료(QR코드, MP3파일, WORKBOOK)

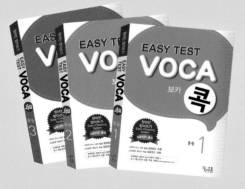

#READING

적중! 영어 독해

중등 **3**

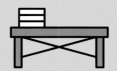

[워크북]

꿈을담는틀
Dream Matrix

적중! 영어독해 중3

Workbook

Word List
&
Word Test

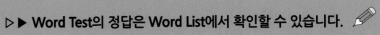 ▷ ▶ **Word Test**의 정답은 **Word List**에서 확인할 수 있습니다.

Word List

Chapter 1

DAY 01

Reading 01

☐ 01	journey	몡	여정, 여행
☐ 02	emphasize	통	강조하다
☐ 03	importance	몡	중요성
☐ 04	pressure	몡	압력, 압박
☐ 05	identity	몡	정체성
☐ 06	impress	통	감명을 주다
☐ 07	support	통	지지하다

Reading 02

☐ 08	liberty	몡	자유
☐ 09	angrily	閂	화내어
☐ 10	violently	閂	거칠게
☐ 11	declare	통	선언하다
☐ 12	emperor	몡	황제
☐ 13	throw away		버리다
☐ 14	admire	통	존경하다
☐ 15	compose	통	작곡하다

DAY 02

Reading 01

☐ 16	sculpture	몡	조각(품)
☐ 17	figure	몡	모양, 숫자
☐ 18	ancient	톙	고대의
☐ 19	unfortunately	閂	불행하게도
☐ 20	largely	閂	크게
☐ 21	organize	통	구조화[체계화]하다
☐ 22	form	몡	형태, 방식

Reading 02

☐ 23	perceive	통	인지하다
☐ 24	term	몡	용어
☐ 25	impression	몡	인상
☐ 26	historical	톙	역사적인
☐ 27	ordinary	톙	보통의
☐ 28	laugh at		~을 비웃다, 조롱하다
☐ 29	critic	몡	비평가
☐ 30	influential	톙	영향력 있는

A 영어는 우리말로, 우리말은 영어로 쓰시오.

01	journey	_____	11	선언하다	_____
02	emphasize	_____	12	황제	_____
03	importance	_____	13	버리다	_____
04	pressure	_____	14	존경하다	_____
05	identity	_____	15	작곡하다	_____
06	impress	_____	16	조각(품)	_____
07	support	_____	17	모양, 숫자	_____
08	liberty	_____	18	고대의	_____
09	angrily	_____	19	불행하게도	_____
10	violently	_____	20	크게	_____

B 다음 각 단어에 해당하는 의미를 짝지으시오.

21	organize	•	•	~을 비웃다, 조롱하다
22	form	•	•	구조화[체계화]하다
23	perceive	•	•	보통의
24	term	•	•	비평가
25	impression	•	•	역사적인
26	historical	•	•	영향력 있는
27	ordinary	•	•	용어
28	laugh at	•	•	인상
29	critic	•	•	인지하다
30	influential	•	•	형태, 방식

Word List

Chapter 2

DAY 03

Reading 01

□ 01	military	명	군대
□ 02	protest	동	항의하다
□ 03	contain	동	포함하다
□ 04	sensitive	형	민감한
□ 05	insult	명	모욕
□ 06	intention	명	의도
□ 07	expect	동	예상[기대]하다

Reading 02

□ 08	cause	동	~을 야기하다
□ 09	drunk	형	술이 취한
□ 10	punish	동	처벌하다, 벌주다
□ 11	society	명	사회
□ 12	prison	명	감옥, 교도소
□ 13	labor	명	노동
□ 14	surprised	형	놀란, 놀라는
□ 15	stay	동	머무르다

DAY 04

Reading 01

□ 16	firework	명	불꽃놀이
□ 17	access	명	접근
□ 18	general	형	전반적인
□ 19	maintenance	명	보수, 보존, 유지
□ 20	descend	동	내려오다
□ 21	exactly	부	정확히
□ 22	crowd	명	사람들, 군중

Reading 02

□ 23	person	명	사람, 개인
□ 24	adult	명	어른, 성인
□ 25	define	동	정의하다
□ 26	legal	형	법률상의
□ 27	India	명	인도
□ 28	permission	명	허락
□ 29	in comparison		비교하여
□ 30	definition	명	정의

A 영어는 우리말로, 우리말은 영어로 쓰시오.

01	military	_____	11	사회	_____
02	protest	_____	12	감옥, 교도소	_____
03	contain	_____	13	노동	_____
04	sensitive	_____	14	놀란, 놀라는	_____
05	insult	_____	15	머무르다	_____
06	intention	_____	16	불꽃놀이	_____
07	expect	_____	17	접근	_____
08	cause	_____	18	전반적인	_____
09	drunk	_____	19	보수, 보존, 유지	_____
10	punish	_____	20	내려오다	_____

B 다음 각 단어에 해당하는 의미를 짝지으시오.

21	exactly	·	·	법률상의
22	crowd	·	·	비교하여
23	person	·	·	사람, 개인
24	adult	·	·	사람들, 군중
25	define	·	·	어른, 성인
26	legal	·	·	인도
27	India	·	·	정의
28	permission	·	·	정의하다
29	in comparison	·	·	정확히
30	definition	·	·	허락

Word List

Chapter 3

DAY 05

Reading 01

□ 01	straw	명 빨대
□ 02	conveniently	부 편리하게
□ 03	accidentally	부 우연히
□ 04	determine	동 결정하다
□ 05	alternative	형 대안이 되는
□ 06	taste	동 맛보다 명 맛
□ 07	economical	형 경제적인

Reading 02

□ 08	due to	~ 때문에
□ 09	demand	명 수요, 요구
□ 10	damage	동 피해를 입히다
□ 11	ecosystem	명 생태계
□ 12	install	동 설치하다
□ 13	wildlife	명 야생 동물
□ 14	worsen	동 악화시키다, 악화되다
□ 15	highway	명 고속도로

DAY 06

Reading 01

□ 16	scenery	명 풍경
□ 17	serious	형 심각한
□ 18	frequent	형 잦은, 빈번한
□ 19	climate	명 기후
□ 20	warn	동 경고하다
□ 21	completely	부 완전히
□ 22	disappear	동 사라지다

Reading 02

□ 23	valley	명 계곡, 골짜기
□ 24	grave	명 무덤
□ 25	thankfully	부 다행스럽게도
□ 26	survive	동 살아남다
□ 27	rescue	동 구조하다
□ 28	escape	동 탈출하다
□ 29	trap	동 가두다
□ 30	slightly	부 약간

A 영어는 우리말로, 우리말은 영어로 쓰시오.

01	straw	_____	11	생태계	_____
02	conveniently	_____	12	설치하다	_____
03	accidentally	_____	13	야생 동물	_____
04	determine	_____	14	악화시키다, 악화되다	_____
05	alternative	_____	15	고속도로	_____
06	taste	_____	16	풍경	_____
07	economical	_____	17	심각한	_____
08	due to	_____	18	잦은, 빈번한	_____
09	demand	_____	19	기후	_____
10	damage	_____	20	경고하다	_____

B 다음 각 단어에 해당하는 의미를 짝지으시오.

21	completely	•	• 가두다
22	disappear	•	• 계곡, 골짜기
23	valley	•	• 구조하다
24	grave	•	• 다행스럽게도
25	thankfully	•	• 무덤
26	survive	•	• 사라지다
27	rescue	•	• 살아남다
28	escape	•	• 약간
29	trap	•	• 완전히
30	slightly	•	• 탈출하다

Word List

DAY 07

Reading 01

☐ 01	cancer	명	암
☐ 02	scary	형	무서운
☐ 03	disease	명	질병
☐ 04	sort	명	종류
☐ 05	cell	명	세포
☐ 06	common	형	흔한
☐ 07	continue	동	계속하다

Reading 02

☐ 08	definite	형	명확한
☐ 09	regularly	부	규칙적으로
☐ 10	excessive	형	지나친, 과도한
☐ 11	rush	동	서두르다
☐ 12	energetic	형	활기 있는
☐ 13	moreover	부	또한, 게다가
☐ 14	peaceful	형	평화로운
☐ 15	atmosphere	명	분위기

DAY 08

Reading 01

☐ 16	at least		적어도
☐ 17	spend	동	(시간을) 보내다
☐ 18	biological	형	생물학의
☐ 19	according to		~에 따르면
☐ 20	respond	동	반응하다
☐ 21	in front of		~의 앞에서
☐ 22	bother	동	방해하다, 괴롭히다

Reading 02

☐ 23	nowadays	부	요즘에는
☐ 24	suggestion	명	제안
☐ 25	suggest	동	제안하다
☐ 26	follow	동	따르다
☐ 27	care	명	관리, 보호
☐ 28	blink	동	눈을 깜박이다
☐ 29	average	형	평범한
☐ 30	electronic	형	전자의

Word Test

A 영어는 우리말로, 우리말은 영어로 쓰시오.

01	cancer	_____	11	서두르다	_____
02	scary	_____	12	활기 있는	_____
03	disease	_____	13	또한, 게다가	_____
04	sort	_____	14	평화로운	_____
05	cell	_____	15	분위기	_____
06	common	_____	16	적어도	_____
07	continue	_____	17	(시간을) 보내다	_____
08	definite	_____	18	생물학의	_____
09	regularly	_____	19	~에 따르면	_____
10	excessive	_____	20	반응하다	_____

B 다음 각 단어에 해당하는 의미를 짝지으시오.

21	in front of	·	·	~의 앞에서
22	bother	·	·	관리, 보호
23	nowadays	·	·	눈을 깜박이다
24	suggestion	·	·	따르다
25	suggest	·	·	방해하다, 괴롭히다
26	follow	·	·	요즘에는
27	care	·	·	전자의
28	blink	·	·	제안하다
29	average	·	·	제안
30	electronic	·	·	평범한

Word List

Chapter 5

DAY 09

Reading 01

□ 01	mosquito	명	모기
□ 02	produce	통	만들어 내다
□ 03	physical	형	신체의
□ 04	activity	명	활동
□ 05	active	형	활동적인
□ 06	detailed	형	자세한, 상세한
□ 07	explanation	명	설명

Reading 02

□ 08	addict	명	중독자
□ 09	admit	통	인정하다
□ 10	argument	명	말다툼
□ 11	affect	통	영향을 미치다
□ 12	though	접	~인데도, ~이지만
□ 13	stay up		깨어 있다
□ 14	quit	통	끊다, 그만두다
□ 15	negative	형	부정적인

DAY 10

Reading 01

□ 16	regard	통	~으로 여기다
□ 17	anxious	형	불안해하는
□ 18	normally	부	보통
□ 19	alone	부	혼자
□ 20	neighbor	명	이웃
□ 21	of importance		중요한
□ 22	train	통	훈련시키다

Reading 02

□ 23	airline	명	항공사
□ 24	passenger	명	승객
□ 25	badly	부	심하게, 몹시
□ 26	fix	통	고치다, 고정하다
□ 27	safety	명	안전
□ 28	yell	통	소리 지르다
□ 29	flight attendant	명	승무원
□ 30	punishment	명	처벌

A 영어는 우리말로, 우리말은 영어로 쓰시오.

01	mosquito	_____	11	영향을 미치다	_____
02	produce	_____	12	~인데도, ~이지만	_____
03	physical	_____	13	깨어 있다	_____
04	activity	_____	14	끊다, 그만두다	_____
05	active	_____	15	부정적인	_____
06	detailed	_____	16	~으로 여기다	_____
07	explanation	_____	17	불안해하는	_____
08	addict	_____	18	보통	_____
09	admit	_____	19	혼자	_____
10	argument	_____	20	이웃	_____

B 다음 각 단어에 해당하는 의미를 짝지으시오.

21	of importance	•	• 고치다, 고정하다
22	train	•	• 소리 지르다
23	airline	•	• 승객
24	passenger	•	• 승무원
25	badly	•	• 심하게, 몹시
26	fix	•	• 안전
27	safety	•	• 중요한
28	yell	•	• 처벌
29	flight attendant	•	• 항공사
30	punishment	•	• 훈련시키다

Word List

DAY 11

Reading 01

☐ 01	make money	돈을 벌다
☐ 02	appearance	몡 외모
☐ 03	miss out	놓치다
☐ 04	opportunity	몡 기회
☐ 05	stupid	혱 어리석은
☐ 06	satisfy	동 만족시키다
☐ 07	entire	혱 전체의

Reading 02

☐ 08	tell a lie	거짓말하다
☐ 09	wrong	혱 잘못된, 틀린
☐ 10	encourage	동 격려하다
☐ 11	maybe	뷘 아마
☐ 12	practice	동 연습하다 몡 연습
☐ 13	truth	몡 진실
☐ 14	honest	혱 솔직한, 정직한
☐ 15	honesty	몡 정직, 솔직함

DAY 12

Reading 01

☐ 16	addiction	몡 중독
☐ 17	embarrassed	혱 창피한, 당황스러운
☐ 18	reinstall	동 재설치하다
☐ 19	relationship	몡 관계
☐ 20	guilty	혱 죄책감이 드는
☐ 21	neglect	몡 소홀 동 방치하다
☐ 22	overcome	동 극복하다

Reading 02

☐ 23	wisely	뷘 현명하게
☐ 24	research	몡 연구, (연구) 조사
☐ 25	caring	몡 돌봄
☐ 26	communication	몡 의사소통
☐ 27	bring	동 가져오다
☐ 28	meaningful	혱 의미 있는, 중요한
☐ 29	care for	~을 돌보다
☐ 30	burden	몡 부담, 짐

Word Test

A 영어는 우리말로, 우리말은 영어로 쓰시오.

01	make money	_____	11	아마	_____
02	appearance	_____	12	연습하다; 연습	_____
03	miss out	_____	13	진실	_____
04	opportunity	_____	14	솔직한, 정직한	_____
05	stupid	_____	15	정직, 솔직함	_____
06	satisfy	_____	16	중독	_____
07	entire	_____	17	창피한, 당황스러운	_____
08	tell a lie	_____	18	재설치하다	_____
09	wrong	_____	19	관계	_____
10	encourage	_____	20	죄책감이 드는	_____

B 다음 각 단어에 해당하는 의미를 짝지으시오.

21	neglect	•		•	~을 돌보다
22	overcome	•		•	가져오다
23	wisely	•		•	극복하다
24	research	•		•	돌봄
25	caring	•		•	부담, 짐
26	communication	•		•	소홀; 방치하다
27	bring	•		•	연구, (연구) 조사
28	meaningful	•		•	의미 있는, 중요한
29	care for	•		•	의사소통
30	burden	•		•	현명하게

Word List

DAY 13

Reading 01

□ 01	connect	통 연결하다
□ 02	telescope	명 망원경
□ 03	combine	통 결합하다
□ 04	facility	명 시설, 기관
□ 05	analyze	통 분석하다
□ 06	observe	통 관측하다
□ 07	collapse	통 무너지다, 붕괴되다

Reading 02

□ 08	submarine	명 잠수함
□ 09	imagine	통 가정하다, 상상하다
□ 10	make sure	확인하다
□ 11	empty	형 비어 있는
□ 12	comfortable	형 편안한
□ 13	furthermore	부 게다가
□ 14	surface	명 표면
□ 15	as long as	~하는 한

DAY 14

Reading 01

□ 16	feature	명 특징
□ 17	spin	통 돌다, 회전하다
□ 18	clockwise	부 시계 방향으로
□ 19	circle	명 (천체의) 궤도, 원
□ 20	possible	형 가능한
□ 21	crush	통 짓누르다
□ 22	boil away	끓여서 증발시키다

Reading 02

□ 23	happen	통 (일이) 일어나다
□ 24	astronaut	명 우주 비행사
□ 25	inch	명 인치(길이의 단위)
□ 26	muscle	명 근육
□ 27	weak	형 약한
□ 28	headache	명 두통
□ 29	trip	명 여행
□ 30	visit	통 방문하다

Word Test

A 영어는 우리말로, 우리말은 영어로 쓰시오.

01	connect	_____	11	비어 있는	_____
02	telescope	_____	12	편안한	_____
03	combine	_____	13	게다가	_____
04	facility	_____	14	표면	_____
05	analyze	_____	15	~하는 한	_____
06	observe	_____	16	특징	_____
07	collapse	_____	17	돌다, 회전하다	_____
08	submarine	_____	18	시계 방향으로	_____
09	imagine	_____	19	(천체의) 궤도, 원	_____
10	make sure	_____	20	가능한	_____

B 다음 각 단어에 해당하는 의미를 짝지으시오.

21	crush	•	• (일이) 일어나다
22	boil away	•	• 근육
23	happen	•	• 끓여서 증발시키다
24	astronaut	•	• 두통
25	inch	•	• 방문하다
26	muscle	•	• 약한
27	weak	•	• 여행
28	headache	•	• 우주 비행사
29	trip	•	• 인치(길이의 단위)
30	visit	•	• 짓누르다

Word List

Chapter 8

DAY 15

Reading 01

□ 01	tribe	명 부족
□ 02	decision	명 결정
□ 03	scientific	형 과학적인
□ 04	accurate	형 정확한
□ 05	predict	동 예측하다
□ 06	weatherman	명 기상 예보관
□ 07	recent	형 최근의

Reading 02

□ 08	monotonous	형 단조로운
□ 09	wheat	명 밀
□ 10	tame	동 길들이다
□ 11	remind	동 생각나게 하다
□ 12	silent	형 잠잠한, 조용한
□ 13	stare	동 응시하다
□ 14	bored	형 지루해하는
□ 15	underground	부 땅속으로, 지하로

DAY 16

Reading 01

□ 16	by accident	우연히
□ 17	attempt	명 시도 동 시도하다
□ 18	thick	형 두꺼운
□ 19	picky	형 까다로운
□ 20	crispy	형 바삭바삭한
□ 21	generous	형 넉넉한, 후한
□ 22	amount	명 양, 액수

Reading 02

□ 23	layer	명 겹[층]
□ 24	develop	동 개발하다
□ 25	appear	동 등장하다, 나타나다
□ 26	spread	동 퍼지다, 확산되다
□ 27	raise	동 (돈이나 사람을) 모으다
□ 28	incurable	형 치유할 수 없는
□ 29	celebrate	동 기념하다
□ 30	provide	동 제공하다

A 영어는 우리말로, 우리말은 영어로 쓰시오.

01	tribe	_____	11	생각나게 하다	_____
02	decision	_____	12	잠잠한, 조용한	_____
03	scientific	_____	13	응시하다	_____
04	accurate	_____	14	지루해하는	_____
05	predict	_____	15	땅속으로, 지하로	_____
06	weatherman	_____	16	우연히	_____
07	recent	_____	17	시도; 시도하다	_____
08	monotonous	_____	18	두꺼운	_____
09	wheat	_____	19	까다로운	_____
10	tame	_____	20	바삭바삭한	_____

B 다음 각 단어에 해당하는 의미를 짝지으시오.

21	generous	•	• (돈이나 사람을) 모으다
22	amount	•	• 개발하다
23	layer	•	• 겹[층]
24	develop	•	• 기념하다
25	appear	•	• 넉넉한, 후한
26	spread	•	• 등장하다, 나타나다
27	raise	•	• 양, 액수
28	incurable	•	• 제공하다
29	celebrate	•	• 치유할 수 없는
30	provide	•	• 퍼지다, 확산되다

Word List

DAY 17

Reading 01

□ 01	facial	형	얼굴의
□ 02	recognition	명	인식
□ 03	measure	통	측정하다
□ 04	compare	통	비교하다
□ 05	security	명	보안
□ 06	individual	명 사람, 개인 형 개인의	
□ 07	tremendous	형	엄청난

Reading 02

□ 08	annoyed	형	짜증이 난
□ 09	disappointed	형	실망한
□ 10	interaction	명	상호 작용
□ 11	reject	통	거절하다
□ 12	interact	통	상호 작용을 하다
□ 13	confused	형	혼란스러워 하는
□ 14	distinguish	통	구별하다
□ 15	approach	명 접근(법) 통 접근하다	

DAY 18

Reading 01

□ 16	expert	명	전문가
□ 17	recommend	통	권고하다, 추천하다
□ 18	argue	통	주장하다
□ 19	risk	명	위험
□ 20	give off		내다, 뿜어내다
□ 21	influence	명	영향
□ 22	cautious	형	조심스러운

Reading 02

□ 23	disability	명	장애
□ 24	command	명	명령
□ 25	recently	부	최근에
□ 26	redirect	통	다시 보내다
□ 27	interpret	통	해석하다
□ 28	lab	명	실험실
□ 29	demonstrate	통	입증하다
□ 30	guarantee	통	보증하다, 보장하다

Word Test

A 영어는 우리말로, 우리말은 영어로 쓰시오.

01	facial	_____	11	거절하다	_____
02	recognition	_____	12	상호 작용을 하다	_____
03	measure	_____	13	혼란스러워 하는	_____
04	compare	_____	14	구별하다	_____
05	security	_____	15	접근(법); 접근하다	_____
06	individual	_____	16	전문가	_____
07	tremendous	_____	17	권고하다, 추천하다	_____
08	annoyed	_____	18	주장하다	_____
09	disappointed	_____	19	위험	_____
10	interaction	_____	20	내다, 뿜어내다	_____

B 다음 각 단어에 해당하는 의미를 짝지으시오.

21	influence	•	• 다시 보내다
22	cautious	•	• 명령
23	disability	•	• 보증하다, 보장하다
24	command	•	• 실험실
25	recently	•	• 영향
26	redirect	•	• 입증하다
27	interpret	•	• 장애
28	lab	•	• 조심스러운
29	demonstrate	•	• 최근에
30	guarantee	•	• 해석하다

Word List

DAY 19

Reading 01

☐ 01	cathedral	명	대성당
☐ 02	attic	명	다락(방)
☐ 03	preserve	통	보존하다
☐ 04	fortunately	부	다행스럽게도
☐ 05	prevention	명	예방
☐ 06	invaluable	형	귀중한
☐ 07	heritage	명	유산

Reading 02

☐ 08	population	명	인구
☐ 09	proudly	부	자랑스럽게
☐ 10	present	통	보여 주다
☐ 11	private	형	개인적인, 사적인
☐ 12	inspire	통	영감을 주다
☐ 13	generate	통	만들어 내다
☐ 14	eco-friendly	형	친환경적인
☐ 15	sustainable	형	지속 가능한

DAY 20

Reading 01

☐ 16	take place		열리다, 개최되다
☐ 17	bless	통	축복을 빌다
☐ 18	whole	형	전체의, 모든
☐ 19	decrease	통	(크기·수 등이) 줄다
☐ 20	result	통	(~의 결과로) 생기다
☐ 21	destruction	명	파괴
☐ 22	habitat	명	서식지

Reading 02

☐ 23	architectural	형	건축학적, 건축학의
☐ 24	lean	통 기울다	명 기울기
☐ 25	degree	명	(단위의) 도
☐ 26	inclined	형	경사진, 기울어진
☐ 27	circular	형	둥근, 원형의
☐ 28	commercial	형	상업적인
☐ 29	vertically	부	수직으로
☐ 30	diagonal	형	대각선의

Word Test

A 영어는 우리말로, 우리말은 영어로 쓰시오.

01	cathedral	_____	11	개인적인, 사적인	_____
02	attic	_____	12	영감을 주다	_____
03	preserve	_____	13	만들어 내다	_____
04	fortunately	_____	14	친환경적인	_____
05	prevention	_____	15	지속 가능한	_____
06	invaluable	_____	16	열리다, 개최되다	_____
07	heritage	_____	17	축복을 빌다	_____
08	population	_____	18	전체의, 모든	_____
09	proudly	_____	19	(크기·수 등이) 줄다	_____
10	present	_____	20	(~의 결과로) 생기다	_____

B 다음 각 단어에 해당하는 의미를 짝지으시오.

21	destruction	•		•	(단위의) 도
22	habitat	•		•	건축학적, 건축학의
23	architectural	•		•	경사진, 기울어진
24	lean	•		•	기울다; 기울기
25	degree	•		•	대각선의
26	inclined	•		•	둥근, 원형의
27	circular	•		•	상업적인
28	commercial	•		•	서식지
29	vertically	•		•	수직으로
30	diagonal	•		•	파괴

적중! 영어독해 중3

Workbook

Writing Test & 정답

Writing Test

○ 우리말에 맞게 주어진 단어들을 배열하시오. (대·소문자 변화 가능)   ▶정답 p.45

DAY 01

Reading 01 BTS의 Love Myself ···

1 나는 나를 다른 사람들에게 맞추곤 했다.

(I / others / myself / tune / used to / into / .)

→ _____

2 나는 내 자신의 목소리를 끄고 다른 사람들의 목소리를 듣기 시작했다.

(my own voice / to shut out / I / began / the voice of others / and / listen to / .)

→ _____

3 아무도 내 이름을 부르지 않았고 나도 역시 그랬다.

(my name / neither / no one / did / called out / and / I / .)

→ _____

Reading 02 베토벤과 나폴레옹 ···

1 펜을 쥐고서, 베토벤은 악보로 걸어갔다.

(Beethoven / to the score / grabbing up / walked over / a pen, / .)

→ _____

2 그는 나폴레옹 보나파르트를 프랑스 혁명의 상징으로서 존경했다.

(as / Napoleon Bonaparte / he / of the French Revolution / admired / an icon / .)

→ _____

3 그는 그를 위한 음악을 작곡하기로 결심했다.

(decided / for him / he / music / to compose / .)

→ _____

▶ 정답 p.45

DAY 02

Reading 01 아프리카 예술을 만난 유럽 예술 ···

1 많은 고대의 아프리카 조각들은 나무로 만들어졌다.

(wood / many / were made of / ancient African sculptures / .)

→ _____

2 금속과 진흙으로 만들어진 조각들은 더 오래 간다.

(made of / sculptures / longer / have lasted / metal and clay / .)

→ _____

3 그들은 아프리카의 예술가들이 사용했던 것과 똑같은 모양과 방식을 사용하기를 원했다.

(that / they / African artists / to use / the same shapes and forms / had used / wanted / .)

→ _____

Reading 02 인상파 화가, 클로드 모네 ···

1 클로드 모네는 가장 유명한 인상파 화가들 중 한 사람이다.

(one of / Claude Monet / is / famous impressionists / the most / .)

→ _____

2 화가들이 오로지 그리스의 신이나 역사적 인물들처럼 옷을 입은 모델들의 초상화만을 그렸다.

(or historical people / dressed / artists / only portraits of models / painted / as Greek gods / .)

→ _____

3 시간이 지남에 따라 상황은 바뀌었다.

(have changed / went on, / as / time / things / .)

→ _____

Writing Test

○ 우리말에 맞게 주어진 단어들을 배열하시오. (대·소문자 변화 가능)   ▶정답 p.45

DAY 03

Reading 01 사우디아라비아 국기와 축구공 ···

1 그들은 가난한 아이들을 기쁘게 해주고 싶었다.
(to please / they / the poor children / wanted / .)

→ _____

2 전 국민들이 그들의 자선 행위에 대해 항의했다.
(against their charity / all over the nation / people / protested / .)

→ _____

3 그들은 이렇게 운이 없는 실수를 예상하지는 못했다.
(an / they / unfortunate / didn't expect / such / mistake / .)

→ _____

Reading 02 음주운전을 하면 벌 받아요! ···

1 음주 운전은 천 달러의 벌금과 1년 동안 수감되는 것으로 처벌을 받는다.
(and imprisonment / by a 1,000 dollar fine / drinking and driving / for a year / is punished / .)

→ _____

2 게다가 당신은 3년 동안 운전하는 것을 멈춰야 한다.
(must / driving / besides, / for three years / you / stop / .)

→ _____

3 그러면 당신은 이것을 들으면 놀랄 것이다.
(be / then / you / to hear / will / surprised / this / .)

→ _____

▶ 정답 p.45

DAY 04

Reading 01 Times Square Ball

1 새해의 시작을 알리는 특별한 불꽃놀이 쇼들이 있다.

(to signal / there are / the start of the New Year / special fireworks shows / .)

→ _____

2 타임스스퀘어로의 접근이 기념행사 진행 중에는 극도로 제한된다.

(extremely limited / the course of the celebration / access / Times Square / is / during / to / .)

→ _____

3 그 공은 연중 계속 깃대 위에 있다.

(on the flagpole / the ball / year-round / remains / .)

→ _____

Reading 02 어른이 되려면 …

1 어른을 정의하는 한 가지 방법은 나이에 의한 것이다.

(an adult / one way / is / by age / to define / .)

→ _____

2 남자는 21살까지 부모의 허락 없이 결혼할 수 없다.

(his parents' permission / a man / can't / until / marry / without / the age of 21 / .)

→ _____

3 어른은 중요한 책임을 질 수 있는 사람이다.

(a person / an adult / is / take on / who / can / important responsibility / .)

→ _____

Writing Test

○ 우리말에 맞게 주어진 단어들을 배열하시오. (대·소문자 변화 가능)　　　　▶ 정답 p.45

DAY 05

Reading 01 먹는 빨대, 쌀 빨대 ···

1 그것들은 플라스틱 빨대보다 약 6배나 비싸다.

(they / six times / are / about / more costly / plastic straws / than / .)

→ _____

2 당신은 음료를 마신 후에 이것을 맛볼 수 있다.

(can / drinking / you / it / after / taste / .)

→ _____

3 우리가 결국 무엇이 중요한지 고려한다면, 우리는 이걸 사용하려고 노력해야 한다.

(what / consider / if / after all, / we / try / we / matters / should / this / to use / .)

→ _____

Reading 02 호수 위, 지붕 위에 설치하는 태양광 패널 ·······································

1 태양광 패널의 사용은 점점 더 늘어나고 있다.

(increasing / the use of solar panels / more and more / is / .)

→ _____

2 이것은 많은 나무들이 잘려나가게 할 수 있다.

(cause / it / to be / may / many trees / cut down / .)

→ _____

3 그것들 주변의 온도가 전보다 더 상승할지도 모른다.

(around them / the temperature / higher than / may / before / go / .)

→ _____

DAY 06

Reading 01 베니스를 구하라! ....

1 많은 관광객들이 아름다운 수상 풍경을 보기 위해서 방문한다.
(to see / many tourists / beautiful / water scenery / have visited / .)

→ _____

2 이것은 잦은 홍수 때문이다.
(because of / is / frequent floods / this / .)

→ _____

3 홍수의 증가는 지구 온난화 때문이다.
(due to / the increase / is / global warming / in flooding / .)

→ _____

Reading 02 데스밸리, 진짜 죽음의 지역인가? ....

1 데스밸리는 미국에서 가장 뜨겁고 건조한 장소 중 하나다.
(one of / Death Valley / in the United States / the hottest and driest places / is / .)

→ _____

2 그들은 이 계곡이 그들의 무덤이 될 것이라고 생각했다.
(be / they / that / would / their grave / this valley / thought / .)

→ _____

3 이곳은 정말로 죽을 정도로 땀을 흘릴 장소일까?
(to sweat / a place / it / to death / really / is / ?)

→ _____

Writing Test

○ 우리말에 맞게 주어진 단어들을 배열하시오. (대·소문자 변화 가능)　　　▶ 정답 p.46

DAY 07

Reading 01 암, 무섭지 않아요! ·····

1　정상적인 세포는 언제 성장하고 언제 성장을 멈추어야 하는지를 알고 있다.
　(when to grow / when to stop / normal cells / and / know / growing / .)

　→ _____

2　암세포는 계속해서 자라고 죽지 않는다.
　(continue / cancer cells / to grow / don't die / and / .)

　→ _____

3　그것들은 건강한 신체 조직을 파괴하기 시작할 수 있다.
　(destroying / they / start / healthy body tissue / can / .)

　→ _____

Reading 02 아침 운동 vs. 저녁 운동 ·····

1　그것은 당신이 잠드는 것을 어렵게 만들 것이다.
　(it / for you / it / hard / to fall asleep / will make / .)

　→ _____

2　운동하기에 가장 좋은 시간은 모든 사람에게 같지 않다.
　(to exercise / the best time / the same / for everyone / is not / .)

　→ _____

3　아침에 운동하는 것은 당신을 하루 종일 더욱 활기차게 만들어 준다.
　(you / exercising / more energetic / in the morning / all day long / makes / .)

　→ _____

DAY 08

Reading 01 Goodnight Teenagers

1 많은 십 대들이 컴퓨터 게임을 하는 데 많은 시간을 보낸다.
(playing computer games / many teens / much time / spend / .)

→ _____

2 사람의 생물학적 시계는 하늘의 색깔에 반응하는데, 그것은 푸른색이다.
(blue / responds to / which / a person's biological clock / the color of the sky, / is / .)

→ _____

3 푸른색 컴퓨터 화면은 생물학적 시계가 아침이라고 생각하게 만들 수 있다.
(it / someone's biological clock / a blue computer screen / make / think / morning / can / is / .)

→ _____

Reading 02 눈 건강 프로젝트

1 다른 제안은 당신과 장비 사이에 거리를 더 두는 것을 포함한다.
(putting / other suggestions / more distance / between / include / you / the device / and / .)

→ _____

2 이것이 눈에 관한 문제의 증가를 초래한다.
(leads to / in eye problems / an increase / this / .)

→ _____

3 왜냐하면 사람들이 전자기기를 볼 때 눈을 덜 자주 깜박이기 때문이다.
(it's / people / when / blink / less often / they / digital devices / because / look at / .)

→ _____

Writing Test

○ **우리말에 맞게 주어진 단어들을 배열하시오. (대·소문자 변화 가능)** ▶정답 p.46

DAY 09

Reading 01 모기는 왜 나만 물까? ···

1 모기들은 냄새를 잘 맡는다.

(very good at / mosquitoes / smelling / are / .)

→ _____

2 어릴수록 더 많이 물린다.

(more / younger / bitten / you / are, / the / you / get / the / .)

→ _____

3 어릴수록 더 활동적이다.

(you / the / younger / are, / the / active / you / are / more / .)

→ _____

Reading 02 나의 게임 중독 지수는? ···

1 비디오 게임 중독자들이 자신들이 중독되었다는 것을 인정하는 것은 힘들다.

(to admit / hard / it / for video game addicts / they / are addicted / is / that / .)

→ _____

2 나는 보통 내가 계획하는 것보다 더 오래 비디오 게임을 한다.

(normally / I / play / plan to / video games / I / longer than / .)

→ _____

3 내 학교 성적이 비디오 게임에 영향을 받은 적이 있다.

(affected / my school grades / been / by video games / have / .)

→ _____

▶ 정답 p.46

DAY 10

Reading 01 왜 개는 주인이고 고양이는 집사라고 하지? ·····································

1 개와 고양이는 둘 다 사랑스러운 애완동물들이다.
   (dogs / are / and / cats / lovely pets / both / .)

   → _____

2 그들은 주인을 그들 그룹의 리더인 것처럼 여긴다.
   (their owner / they / were / regard / he or she / the leader of their group / as if / .)

   → _____

3 그것이 바로 주인이 없을 때 그들이 보통 불안해하는 이유이다.
   (is / they / usually / when / why / their owner / that / is not / feel anxious / with them / .)

   → _____

Reading 02 비행기 안에서 난동을 부리면 안 돼! ·····································

1 항공사 사람들은 기내 난동이 증가하는 문제라고 말한다.
   (is / air rage / people in airlines / that / a growing problem / say / .)

   → _____

2 일부 승무원들은 붙잡혀서 맞기도 한다.
   (grabbed and hit / some flight attendants / have even been / .)

   → _____

3 비행기에서 화가 난 승객들을 더 잘 다루는 방법은 매우 중요하다.
   (very important / is / better deal with / angry passengers / how to / in a flight / .)

   → _____

Writing Test

○ 우리말에 맞게 주어진 단어들을 배열하시오. (대·소문자 변화 가능) ▶정답 p.47

DAY 11

Reading 01 네 생각은 어때?

1 저는 그게 제 외모를 바꿔야 하는 것을 의미하더라도 돈을 벌겠어요.

(means / I'd rather / even if / it / make / changing my appearance / money / .)

→ _____

2 사람들이 뭐라고 하든지 당신은 당신 자신이 되어야 해요.

(people / be yourself / you / should / say / no matter what / .)

→ _____

3 그것은 그들이 저에게 얼마나 바꾸기를 원하는지에 달려있어요.

(it / me / how much / want / to change / depends on / they / .)

→ _____

Reading 02 A White Lie

1 저는 거짓말하는 것이 잘못된 거라는 걸 알아요.

(that / I / telling a lie / is / know / wrong / .)

→ _____

2 당신은 아들의 기분을 좋게 하려고 거짓말을 했다.

(to make / feel better / you / lied / your son / .)

→ _____

3 그는 진실을 알 만큼 충분히 나이를 먹었다.

(old / he / to learn / the truth / is / enough / .)

→ _____

▶ 정답 p.47

DAY 12

Reading 01 게임 중독에서 벗어나고 싶어요! ·····································

1 저는 어떻게 하면 온라인 게임 중독을 멈출 수 있을까요?

(stop / how / my online game addiction / can / I / ?)

→ _____

2 나의 학업 그리고 사람들과의 관계는 더 악화되고 있다.

(getting worse / and / relationships / my schoolwork / with people / are / .)

→ _____

3 독서나 운동과 같은 다른 것을 하느라 바빠져라.

(or playing sports / doing / get busy / something else / reading books / like / .)

→ _____

Reading 02 개와 금붕어 중 당신의 선택은? ·····································

1 당신은 현명하게 돈을 쓰는 방법을 알고 있는가?

(you / wisely / how to / spend / do / money / know / ?)

→ _____

2 현명한 소비는 항상 더 적은 돈을 소비하는 것을 의미하는 것은 아니다.

(doesn't / wise spending / spending less money / always / mean / .)

→ _____

3 개를 돌보는 것은 큰 시간 부담과 비싼 가격이 따른다.

(caring for / a big time burden / a dog / comes with / and big price tag / .)

→ _____

Writing Test

○ 우리말에 맞게 주어진 단어들을 배열하시오. (대·소문자 변화 가능) ▶정답 p.47

DAY 13

Reading 01 블랙홀 첫 촬영 ···

1 당신은 블랙홀이 보일 수 있다고 믿는가?

(that / you / can / seen / believe / be / do / black holes / ?)

→ _____

2 그들은 필요한 만큼 망원경들을 서로 연결하자는 생각을 했다.

(as much as / had an idea / they / telescopes together / to connect / they needed / .)

→ _____

3 일부 과학자들이 그것의 사진을 찍는 데 성공했다.

(of it / some scientists / succeeded in / taking a picture / .)

→ _____

Reading 02 잠수함의 작동 원리 ···

1 잠수함은 강철로 만들어지는데, 그것은 잠수함이 매우 무겁다는 것을 의미한다.

(made of steel, / is / a submarine / is / means / extremely heavy / which / it / .)

→ _____

2 그것이 비어 있는 것을 확인하고 뒤집어서 물에 놓아라.

(upside down / make sure / is / put / empty / and then / it / in the water / it / .)

→ _____

3 그 속의 공기 때문에 컵을 가라앉게 만드는 것은 쉽지 않다.

(because of / the cup / it / easy / sink / the air / to make / in it / is not / .)

→ _____

▶ 정답 p.47

DAY 14

Reading 01 금성은 어떤 행성일까? ··

1 금성은 태양에 두 번째로 가까운 행성이다.

(to the Sun / the second / Venus / closest planet / is / .)

→ _____

2 금성이 태양 주위를 도는 데는 225일 밖에 걸리지 않는다.

(it / for Venus / only 225 days / takes / around the Sun / to go / .)

→ _____

3 금성에서 사는 것은 가능할까?

(possible / is / on Venus / to live / it / ?)

→ _____

Reading 02 우주에서 우주 비행사에게 무슨 일이 생길까? ···

1 우주에서 우주 비행사들에게 무슨 일이 생길까?

(to astronauts / in space / what / happens / ?)

→ _____

2 그들의 심장은 더 작아지는데 몸속의 혈액이 머리 쪽으로 이동하기 때문이다.

(moves up / get smaller / their hearts / in their bodies / because / to their heads / the blood / .)

→ _____

3 우주 비행사들이 다른 행성에 방문하는 더 긴 여행을 할 수 있다.

(to visit / astronauts / take / other planets / longer trips / can / .)

→ _____

○ 우리말에 맞게 주어진 단어들을 배열하시오. (대·소문자 변화 가능) ▶ 정답 p.47

DAY 15

Reading 01 이번 겨울은 정말 추울 것 같아요! ···

1 그는 다가오는 겨울이 추울지 안 추울지를 알고 싶었다.

(the coming winter / to know / would be / he / wanted / cold or not / whether / .)

→ _____

2 그것이 전통적인 방법으로 날씨를 예측하는 것보다 훨씬 더 과학적이고 정확했다.

(predicting weather / it / more scientific and accurate / than / was / in a traditional way / much / .)

→ _____

3 추장은 그의 부족에게 많은 땔감을 모으라고 지시했다.

(lots of / ordered / to collect / his tribe / the chief / firewood / .)

→ _____

Reading 02 여우를 만난 어린 왕자 ··

1 모든 닭들이 똑같고, 모든 인간들도 다 똑같아.

(all men / just alike, / all chickens / are / are / and / just alike / .)

→ _____

2 일단 네가 나를 길들이게 되면 멋질 거야!

(tamed / it / will / wonderful, / you've / me / be / once / !)

→ _____

3 나는 나머지 전부와는 다를 발자국 소리를 알게 될 거야.

(that / I'll / the sound of footsteps / will / know / be different from / all the rest / .)

→ _____

▶ 정답 p.48

DAY 16

Reading 01 더 얇게, 더 짜게, 더 바삭하게 ···

1 당신은 감자 칩이 화가 난 어떤 주방장에 의해 발명된 것을 알고 있었는가?

(were invented / did / know / potato chips / by an angry chef / you / that / ?)

→ _____

2 크럼은 감자를 가능한 한 얇게 썰었다.

(as thin as / Crum / the potatoes / he could / sliced / .)

→ _____

3 그는 그것들이 단단하고 바삭바삭해 질 때까지 튀겼다.

(were / he / them / they / hard and crispy / fried / until / .)

→ _____

Reading 02 달콤한 마카롱 ···

1 이탈리아인들이 파티 메뉴로 그것을 프랑스로 가져왔다고 한다.

(to France / to bring / Italians / said / it / as a party menu / were / .)

→ _____

2 그는 달콤한 크림으로 가득 찬 두 개의 동그란 머랭을 개발했다.

(he / filled with / developed / sweet cream / the two rounded meringues / .)

→ _____

3 이것이 디저트 시장에 등장하자마자, 유명해졌다.

(appeared / as soon as / famous / at the dessert market, / it / became / it / .)

→ _____

Writing Test

○ 우리말에 맞게 주어진 단어들을 배열하시오. (대·소문자 변화 가능)   ▶정답 p.48

DAY 17

Reading 01 내 얼굴에 다 있다? ··

1 당신은 이것이 영화의 한 장면이라고 생각하는가?

(from a movie / you / think / it's / do / a scene / ?)

→ _____

2 인식 시스템이 측정하는 것은 코의 크기와 위치 같은 것들이다.

(measure / what / is / things / of a nose / like / the size and position / recognition systems / .)

→ _____

3 이 소프트웨어는 사람을 확인하기 위해 많은 사진들을 비교한다.

(the person / to identify / compares / many images / the software / .)

→ _____

Reading 02 영화 스토리를 직접 선택할 수 있는 세상 ···

1 관객은 이야기 전개에 참여할 수 없었다.

(take part in / the audience / the story development / couldn't / .)

→ _____

2 인터넷 기술 덕분에 이야기는 선택되고 변화될 수 있다.

(changed / thanks to / be selected / Internet technology / the story / can / and / .)

→ _____

3 이러한 접근법이 영화 산업이 새로운 장르를 탐색하게 할 것이다.

(new genres / would / this approach / to explore / allow / the movie industry / .)

→ _____

▶ 정답 p.48

DAY 18

Reading 01 블루투스 이어폰이 건강을 해친다? ···

1 전문가들은 사람들에게 블루투스 이어폰 사용을 줄이라고 권고한다.

(to reduce / their use of bluetooth earphones / experts / people / recommend / .)

→ _____

2 블루투스 기기는 스마트폰보다 90% 더 적은 방사선을 내뿜는다고 믿어진다.

(to give off / than / bluetooth devices / believed / 90% / smartphones / are / less radiation / .)

→ _____

3 무선 이어폰을 유선 이어폰으로 바꾸면 된다.

(can / wireless / you / into / wired ones / change / earphones / .)

→ _____

Reading 02 상상이 현실이 되다 ···

1 연구원들이 최근에 고안한 것은 특수 모자이다.

(is / what / a special cap / have recently designed / researchers / .)

→ _____

2 그것들은 뇌로부터 받은 명령에 컴퓨터가 반응하게 도와준다.

(help / the computer / from the brain / they / react / to commands / .)

→ _____

3 인간의 뇌는 우주의 다른 어떤 알려진 구조보다 더 복잡하다.

(more complex / is / than / any other known structure / the human brain / in the universe / .)

→ _____

Writing Test

◐ 우리말에 맞게 주어진 단어들을 배열하시오. (대·소문자 변화 가능)　　　　▶ 정답 p.48

DAY 19

Reading 01 노트르담 대성당 화재 사건 ·································

1 그것들은 그것의 본래 디자인을 보존하기 위해 허용되지 않았다.

(allowed there / to preserve / they / its original design / were not / .)

→ _____

2 건물의 3분의 1이 여전히 남아 있다.

(the building / still / a third / remains / of / .)

→ _____

3 기부금이 백만장자들로부터 전달되었다.

(brought in / donations / been / from millionaires / have / .)

→ _____

Reading 02 친환경 섬, 하와이 라나이 ·································

1 라나이는 하와이에서 여섯 번째로 큰 섬이다.

(the sixth / Lanai / is / in Hawaii / biggest / island / .)

→ _____

2 그곳은 은신처가 되는 것을 의미할뿐만 아니라 아주 매력적이다.

(it / meant / is / to be / a hideaway / but / it / not only / quite attractive / is / .)

→ _____

3 그것이 빌 게이츠가 개인 결혼식을 여기서 한 이유이다.

(a private wedding ceremony here / why / that's / had / Bill Gates / .)

→ _____

DAY 20

Reading 01 코끼리의 날 ....

1 이 행사는 일주일 내내 열린다.

(for a whole week / held / is / this event / .)

→ _____

2 태국 사람들은 코끼리에 대한 그들의 존경심을 모두 보여준다.

(all their respects / people / to the elephants / in Thailand / show / .)

→ _____

3 태국의 코끼리의 수는 줄었다.

(has decreased / elephants / the number of / in Thailand / .)

→ _____

Reading 02 세계에서 가장 많이 기울어진 타워는? ....

1 아부다비는 세계의 가장 부유한 도시들 중 하나이다.

(the wealthiest cities / Abu Dhabi / in the world / one of / is / .)

→ _____

2 그것은 현대의 건축학적 경이로운 작품들로 잘 알려져 있다.

(known / it / for / its modern architectural wonders / is / .)

→ _____

3 이 35층 건물은 사막 바람으로 기울어진 것처럼 보인다.

(bends / this 35-story building / it / with the desert winds / looks like / .)

→ _____

Writing Test 정답

Chapter 1 ....

Reading 01 BTS의 Love Myself

1 I used to tune myself into others.

2 I began to shut out my own voice and listen to the voice of others.

3 No one called out my name and neither did I.

Reading 02 베토벤과 나폴레옹

1 Grabbing up a pen, Beethoven walked over to the score.

2 He admired Napoleon Bonaparte as an icon of the French Revolution.

3 He decided to compose music for him.

DAY 02

Reading 01 아프리카 예술을 만난 유럽 예술

1 Many ancient African sculptures were made of wood.

2 Sculptures made of metal and clay have lasted longer.

3 They wanted to use the same shapes and forms that African artists had used.

Reading 02 인상파 화가, 클로드 모네

1 Claude Monet is one of the most famous impressionists.

2 Artists painted only portraits of models dressed as Greek gods or historical people.

3 As time went on, things have changed.

Chapter 2 ....

DAY 03

Reading 01 사우디아라비아 국기와 축구공

1 They wanted to please the poor children.

2 People all over the nation protested against their charity.

3 They didn't expect such an unfortunate mistake.

Reading 02 음주운전을 하면 벌 받아요!

1 Drinking and driving is punished by a 1,000 dollar fine and imprisonment for a year.

2 Besides, you must stop driving for three years.

3 Then you will be surprised to hear this.

DAY 04

Reading 01 Times Square Ball

1 There are special fireworks shows to signal the start of the New Year.

2 Access to Times Square is extremely limited during the course of the celebration.

3 The ball remains on the flagpole year-round.

Reading 02 어른이 되려면 …

1 One way to define an adult is by age.

2 A man can't marry without his parents' permission until the age of 21.

3 An adult is a person who can take on important responsibility.

Chapter 3 ....

DAY 05

Reading 01 먹는 빨대, 쌀 빨대

1 They are about six times more costly than plastic straws.

2 You can taste it after drinking.

3 If we consider what matters after all, we should try to use this.

Reading 02 호수 위, 지붕 위에 설치하는 태양광 패널

1 The use of solar panels is increasing more and more.

2 It may cause many trees to be cut down.

3 The temperature around them may go higher than before.

DAY 06

Reading 01 베니스를 구하라!

1 Many tourists have visited to see beautiful water scenery.

2 This is because of frequent floods.

3 The increase in flooding is due to global warming.

Reading 02 데스밸리, 진짜 죽음의 지역인가?

1 Death Valley is one of the hottest and driest places in the United States.

2 They thought that this valley would be their grave.

3 Is it really a place to sweat to death?

Chapter 4 ....

DAY 07

Reading 01 암, 무섭지 않아요!

1 Normal cells know when to grow and when to stop growing.

2 Cancer cells continue to grow and don't die.

3 They can start destroying healthy body tissue.

Reading 02 아침 운동 vs. 저녁 운동

1 It will make it hard for you to fall asleep.

2 The best time to exercise is not the same for everyone.

3 Exercising in the morning makes you more energetic all day long.

DAY 08

Reading 01 Goodnight Teenagers

1 Many teens spend much time playing computer games.

2 A person's biological clock responds to the color of the sky, which is blue.

3 A blue computer screen can make someone's biological clock think it is morning.

Reading 02 눈 건강 프로젝트

1 Other suggestions include putting more distance between you and the device.

2 This leads to an increase in eye problems.

3 It's because people blink less often when they look at digital devices.

Chapter 5 ....

DAY 09

Reading 01 모기는 왜 나만 물까?

1 Mosquitoes are very good at smelling.

2 The younger you are, the more you get bitten.

3 The younger you are, the more active you are.

Reading 02 나의 게임 중독 지수는?

1 It is hard for video game addicts to admit that they are addicted.

2 I normally play video games longer than I plan to.

3 My school grades have been affected by video games.

DAY 10

Reading 01 왜 개는 주인이고 고양이는 집사라고 하지?

1 Both dogs and cats are lovely pets.

2 They regard their owner as if he or she were the leader of their group.

3 That is why they usually feel anxious when their owner is not with them.

Reading 02 비행기 안에서 난동을 부리면 안 돼!

1 People in airlines say that air rage is a growing problem.

2 Some flight attendants have even been grabbed and hit.

3 How to better deal with angry passengers in a flight is very important.

Chapter 6

Reading 01 네 생각은 어때?

1 I'd rather make money even if it means changing my appearance.
2 You should be yourself no matter what people say.
3 It depends on how much they want me to change.

Reading 02 A White Lie

1 I know that telling a lie is wrong.
2 You lied to make your son feel better.
3 He is old enough to learn the truth.

Reading 01 게임 중독에서 벗어나고 싶어요!

1 How can I stop my online game addiction?
2 My schoolwork and relationships with people are getting worse.
3 Get busy doing something else like reading books or playing sports.

Reading 02 개와 금붕어 중 당신의 선택은?

1 Do you know how to spend money wisely?
2 Wise spending doesn't always mean spending less money.
3 Caring for a dog comes with a big time burden and big price tag.

Chapter 7

Reading 01 블랙홀 첫 촬영

1 Do you believe that black holes can be seen?
2 They had an idea to connect telescopes together as much as they needed.
3 Some scientists succeeded in taking a picture of it.

Reading 02 잠수함의 작동 원리

1 A submarine is made of steel, which means it is extremely heavy.
2 Make sure it is empty and then put it in the water upside down.
3 It is not easy to make the cup sink because of the air in it.

Reading 01 금성은 어떤 행성일까?

1 Venus is the second closest planet to the Sun.
2 It takes only 225 days for Venus to go around the Sun.
3 Is it possible to live on Venus?

Reading 02 우주에서 우주 비행사에게 무슨 일이 생길까?

1 What happens to astronauts in space?
2 Their hearts get smaller because the blood in their bodies moves up to their heads.
3 Astronauts can take longer trips to visit other planets.

Chapter 8

Reading 01 이번 겨울은 정말 추울 것 같아요!

1 He wanted to know whether the coming winter would be cold or not.
2 It was much more scientific and accurate than predicting weather in a traditional way.
3 The chief ordered his tribe to collect lots of firewood.

Reading 02 여우를 만난 어린 왕자

1 All chickens are just alike, and all men are just alike.
2 It will be wonderful, once you've tamed me!
3 I'll know the sound of footsteps that will be different from all the rest.

DAY 16

Reading 01 더 얇게, 더 짜게, 더 바삭하게

1 Did you know that potato chips were invented by an angry chef?

2 Crum sliced the potatoes as thin as he could.

3 He fried them until they were hard and crispy.

Reading 02 달콤한 마카롱

1 Italians were said to bring it to France as a party menu.

2 He developed the two rounded meringues filled with sweet cream.

3 As soon as it appeared at the dessert market, it became famous.

Chapter 9 ....

DAY 17

Reading 01 내 얼굴에 다 있다?

1 Do you think it's a scene from a movie?

2 What recognition systems measure is things like the size and position of a nose.

3 The software compares many images to identify the person.

Reading 02 영화 스토리를 직접 선택할 수 있는 세상

1 The audience couldn't take part in the story development.

2 The story can be selected and changed thanks to Internet technology.

3 This approach would allow the movie industry to explore new genres.

DAY 18

Reading 01 블루투스 이어폰이 건강을 해친다?

1 Experts recommend people to reduce their use of bluetooth earphones.

2 Bluetooth devices are believed to give off 90% less radiation than smartphones.

3 You can change wireless earphones into wired ones.

Reading 02 상상이 현실이 되다

1 What researchers have recently designed is a special cap.

2 They help the computer react to commands from the brain.

3 The human brain is more complex than any other known structure in the universe.

Chapter 10 ....

DAY 19

Reading 01 노트르담 대성당 화재 사건

1 They were not allowed there to preserve its original design.

2 A third of the building still remains.

3 Donations have been brought in from millionaires.

Reading 02 친환경 섬, 하와이 라나이

1 Lanai is the sixth biggest island in Hawaii.

2 It is not only meant to be a hideaway but it is quite attractive.

3 That's why Bill Gates had a private wedding ceremony here.

DAY 20

Reading 01 코끼리의 날

1 This event is held for a whole week.

2 People in Thailand show all their respects to the elephants.

3 The number of elephants in Thailand has decreased.

Reading 02 세계에서 가장 많이 기울어진 타워는?

1 Abu Dhabi is one of the wealthiest cities in the world.

2 It is known for its modern architectural wonders.

3 This 35-story building looks like it bends with the desert winds.

READING

적중! 영어 독해

중등 3

끝 발음이 같은 단어끼리 모아서
더 빨리 외우자! 더 오래 기억하자!

라임으로 읽는 영단어

Rhyme

대상: 초등 고학년 ~ 중등

ash c**ash** cr**ash** d**ash** fl**ash**
ever cl**ever** for**ever** how**ever** n**ever**
ill b**ill** ch**ill** dr**ill** f**ill** h**ill** k**ill** p**ill** sk**ill** st**ill** w**ill**
press de**press** ex**press** im**press**

all, ball, call, tall ... 라임에 맞춰 노래 부르듯이 따라 읽다 보면
영단어가 더 쉽게 외워집니다. 더 오래 기억됩니다.

1. 하루에 23~29개씩 1300개의 단어를 50일 동안 공부합니다.
2. QR코드를 활용해 간편하게 듣기 학습을 할 수 있습니다.
3. 내가 오늘 외운 단어, 오늘까지 외운 단어는 몇 개지? 매일 마지막 페이지에서 확인할 수 있습니다.
4. 그날그날 확인 테스트로 외운 단어를 확실히 체크하고 넘어갑니다.
5. 5일에 한 번, 100개씩 복습하는 누적 테스트로 5일 동안 외운 단어들을 다시 한 번 확인할 수 있습니다.
6. 특별 부록 : 발음이 비슷해서 헷갈리는 어휘

꿈을담는틀 홈페이지에서 어휘 테스트지 3종과 무료 MP3 파일을 다운로드 받을 수 있습니다.
www.ggumtl.co.kr

국어에 날개를 달자!

꿈틀 완성 시리즈

수능에서 문법이
중요하다는데,
문법은
너무 어려워요.

머릿속에 있는
생각을
글로 표현하지
못하겠어요.

개념을 몰라서
그런지
선생님 말씀이
이해되지 않아요.

국어 고민 완전 해결!

국어 개념 완성

국어 공부에 꼭 필요한 개념을 알기
쉽게 풀이하여 국어를 잘할 수 있는
방법을 터득하게 합니다.

국어 문법 완성

내신은 물론 강화된 수능 문법에 대
비할 수 있게 중학 문법을 체계적으
로 총정리했습니다.

중등 논술 완성

재미있고 진지한 주제와 다양한 활
동을 통해 사고력과 글쓰기 능력을
길러줍니다.

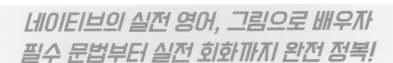

네이티브의 실전 영어, 그림으로 배우자
필수 문법부터 실전 회화까지 완전 정복!

Real 영어 하나하나 알기 쉽게
동사 / 전치사 / 시제·가정법
형용사·부사 / 관사

데이비드 세인 지음 | 다카야마 와타루 그림 | 각 14,800원

★ 일본 영어 학습 분야 초특급 베스트셀러
★ 400만 부 판매 최고 인기 저자

특징1 ▶ **긴 설명이 필요 없는 직관적 이미지로 영어를 이해한다**

각각의 의미에 맞는 그림으로 단어를 배우고 진짜 의미를 콕 짚어 기억할 수 있다. 간략한 설명과 제시된 그림 이미지를 함께 보며 이 책을 100% 활용하면 고난도 영어도 문제없다.

특징2 ▶ **생활형 만화로 문법이 더 재미있다**

미국에서 온 마이크와 홈스테이 가정의 수현과 수아가 겪는 에피소드를 그린 만화로 영어를 더 재미있게 배울 수 있다.

특징3 ▶ **사소한 단어 하나에 엄청난 뉘앙스 차이가!**
실전 예문으로 즉시 확인하자

원어민의 입장에서 찾아낸 비영어권 학습자들의 공통적인 실수를 설명하고 이를 줄일 수 있는 방법을 친절하게 알려 준다.

#READING

적중! 영어 독해

중등 **3**

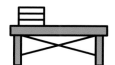

[정답과 해설]

꿈을담는틀
Dream Matrix

Music · Art

▸ pp.10~11

BTS의 Love Myself

지문 분석

❶ In 2018, BTS, Korean music group, made a great speech
— 동격 — make a speech: 연설을 하다
in the UN General Assembly in New York. ❷ Their message

was based on their own music ⓐcalled "Love Myself." ❸ RM,
be based on: ~에 기반하다 ↑ 과거분사구
one of the group members, ⓑtalking about his journey to
동격 (×) → talked(○)
self-realization. ❹ "I used to tune myself into others," he said.
used to+동사원형: ~하곤 했다 (began to)
❺ "Soon, I began to shut out my own voice and ⓒlisten to the
병렬구조(begin+to부정사)
voice of others. ❻ No one called out my name and neither ⓓdid
no+단수명사: 어떤 ~도 아닌(전체부정) neither+동사+주어: ~도 역시 그렇다(부정동사)
I." ❼ However, he emphasized the importance of not giving up
동명사의 부정형(not+동명사) / give up on: ~을 포기하다
on himself through social pressure. ❽ "We have learned to love
learn+to부정사(목적어)
ⓔourselves, so now I urge you to *speak yourself*," he said.
urge A to부정사: A에게 ~하라고 촉구하다
❾ To the end of the speech, he added, "No matter who you are,
누구든지(= whoever)
where you are from, what your skin color or gender identity is,

just find your voice." ❿ Since his voice was on air, teenagers
접 ~이후로 (have been)
around the world have been impressed and supported by ⓗhis
병렬구조-완료형 수동태
message. (have/has been+p.p.)

지문 해석

❶ 2018년에, 한국의 음악 그룹인 BTS(방탄소년단)가 뉴욕 UN 총회에서 멋진 연설을 했다. ❷ 그들의 메시지는 '러브 마이셀프'라는 그들 자신의 음악에 기반했다. ❸ 그룹 구성원 중 한 명인 RM이 자아실현으로의 그의 여정에 대해서 말했다. ❹ "나는 다른 사람들에게 나를 맞추곤 했다."라고 그는 말했다. ❺ "곧, 나는 내 자신의 목소리를 끄고 다른 사람들의 목소리를 듣기 시작했다. ❻ 아무도 내 이름을 부르지 않았고 나도 역시 그랬다." ❼ 그러나, 그는 사회적 압력으로 스스로를 포기하지 않는 것의 중요성을 강조했다. ❽ "우리는 우리 자신을 사랑하는 법을 배워왔고, 그래서 지금 나는 여러분에게 '스스로 목소리 내기'를 촉구합니다."라고 그가 말했다. ❾ 연설의 마지막에 그는 덧붙였다. "당신이 누구든지, 당신이 어디서 왔든, 당신의 피부색 또는 성 정체성이 무엇이든, 당신의 목소리를 찾으세요." ❿ 그의 목소리가 방송이 된 이후로, 전 세계의 십 대들이 그의 메시지에 감명 받고 지지 받았다.

정답인 이유 ✏

1 어법성 판단

정답 ②

해설
ⓑ 문장의 동사가 와야 하므로 talking이 아니라 시제에 맞게 동사의 과거형 talked가 와야 한다.
ⓐ their own music이 "Love Myself"라고 불리는 것이므로 수동의 의미를 나타내는 과거분사 called가 적절하다.
ⓒ 「begin+to부정사」 형태로 앞의 began to shut과 병렬구조이므로 (began to) listen이 적절하다.
ⓓ 「부정어+(조)동사+주어」의 어순으로 나타내는 게 적절하다.
ⓔ 주어와 목적어가 같은 대상일 경우 목적어로 「대명사+-self/selves」 형태의 재귀대명사가 사용되는 것이 적절하다.

2 목적 추론

정답 ①

해설 BTS(방탄소년단)의 연설은 청소년들이 자기 자신의 목소리를 내도록 격려하는 데 있으므로 ① '격려하기 위해'가 목적으로 가장 적절하다.

해석 BTS 연설의 목적으로 가장 적절한 것은?
① 격려하기 위해
② 비판하기 위해
③ 불평하기 위해
④ 설명하기 위해
⑤ 홍보하기 위해

3 서술형

정답 Speak yourself 또는 Find your voice
해설 밑줄 친 부분 앞에서 답을 찾을 수 있다. '그의 메시지'가 의미하는 것은 '당신(스스로)의 목소리를 내라'는 것이다.

제대로 독해법

어휘 Level Up

1ⓖ 2ⓘ 3ⓙ 4ⓐ 5ⓑ 6ⓔ 7ⓙ 8ⓗ 9ⓜ
10ⓒ 11ⓓ 12ⓕ 13ⓚ

내신 Level Up

정답 emphasize
해설 '어떤 것이 매우 중요하고 주목할 만한 가치가 있다는 것을 보여 주다'라는 뜻을 갖는 단어는 emphasize(강조하다)이다.

구문 Level Up

정답 1. am 2. do
해설
1. 긍정문에 동의하는 표현이므로 「so+(조)동사+주어」의 형태가 오는 것이 알맞다.
2. 부정문에 동의하는 표현이므로 「neither+(조)동사+주어」의 형태가 오는 것이 알맞다. 주어가 we이므로 복수동사 do가 와야 한다.

▶ pp.12~13

베토벤과 나폴레옹

지문 분석

❶ Beethoven, a music composer, liked liberty and welcomed
<u>주어</u> <u>동격</u> <u>동사1</u> <u>동사2</u>
the new wave of change in Europe.

(C) ❷ ⓐHe admired Napoleon Bonaparte as an icon of the
<u>젠 ~로서</u>
French Revolution, the movement to better society.
<u>동격</u>
❸ He decided to compose music for him. ❹ As soon as
<u>decide+to부정사(목적어)</u> <u>젭 ~하자마자</u>
the score was finished, he wrote 'for Bonaparte' on the
<u>주어</u> <u>동사1</u>
cover and left it on a table so that all ⓔhis friends could see.
<u>동사2 = the score</u> <u>so that ~: ~하도록 …하다 / ~하기 위해서</u>

(B) ❺ Not long after putting the final touches to his music,
<u>오래지 않아</u>
somebody came to ⓒhim with ㉠news [that Napoleon
<u>news를 설명해 주는 동격절</u>
had declared himself the Emperor of France and thrown
<u>과거완료시제(had+p.p.)</u> <u>(he had)</u>
away the value of equality].

(A) ❻ Beethoven angrily shouted, "ⓐHe is a hero no more!
<u>더 이상 ~이 아닌</u>
Now he thinks himself higher than all men!" ❼ Grabbing up
<u>비교급+than</u> <u>분사구문(= As he grabbed</u>
a pen], Beethoven walked over to the score and scratched <u>up a pen)</u>
<u>주어</u> <u>동사1</u> <u>동사2</u>
out the title so violently that ⓑhe tore apart the paper.
<u>so ~ that절: 너무 ~해서 …하다</u>

지문 해석

❶ 음악 작곡가인 베토벤은 자유를 좋아했고 유럽의 새로운 변화의 물결을 반겼다. (C) ❷ 그는 나폴레옹 보나파르트를 더 나은 사회로 가는 운동인 프랑스 혁명의 상징으로서 존경했다. ❸ 그는 그(나폴레옹)를 위한 음악을 작곡하기로 결심했다. ❹ 악보가 완성되자마자, 그는 '보나파르트를 위하여'라고 표지에 쓰고 그의 모든 친구들이 볼 수 있도록 탁자 위에 그것을 두었다. (B) ❺ 그의 음악에 마지막 수정을 한 지 얼마 안 되어, 누군가가 나폴레옹이 스스로를 프랑스의 황제라고 선언했고 평등의 가치를 버렸다는 소식을 가지고 왔다. (A) ❻ 베토벤은 화내며 외쳤다. "그는 더 이상 영웅이 아니야! 지금 그는 스스로를 모든 사람보다 더 높다고 생각하고 있어!" ❼ 펜을 쥐고서, 베토벤은 악보로 걸어가 종이가 찢어질 정도로 아주 거칠게 제목을 지웠다.

정답인 이유

1 지칭 추론
정답 ①
해설 ⓐ는 나폴레옹을 지칭하며, ⓑ, ⓒ, ⓓ, ⓔ는 작곡가인 베토벤을 지칭한다.

2 순서 파악
정답 ⑤
해설 베토벤이 자유와 변화를 좋아했다는 주어진 내용 다음으로 프랑스 혁명의 상징인 나폴레옹을 존경하고 그를 위한 음악을 작곡했다는 내용의 (C)가 맨 처음에 나오고, 이어서 작곡 후 나폴레옹이 스스로 황제라고 선언하고 평등의 가치를 버렸다는 내용의 (B)가 온 다음에, (B)에서 언급한 나폴레옹의 행동에 베토벤이 화를 내는 (A)가 마지막에 오는 것이 가장 적절하다.
해석 이 글의 순서로 가장 적절한 것은?

3 서술형
정답 admired him, but when he declared himself the Emperor, Beethoven was angry at the action
해석
나폴레옹이 프랑스 혁명의 영웅이었을 때 베토벤은 그를 존경했지만, 그(나폴레옹)가 스스로 황제라고 선언했을 때 베토벤은 그 행동에 화가 났다.

제대로 독해법

어휘 Level Up
1 ⓓ 2 ⓗ 3 ⓟ 4 ⓑ 5 ⓖ 6 ① 7 ⓚ 8 ⓞ 9 ⓜ
10 ⓔ 11 ⓕ 12 ① 13 ⓝ 14 ⓐ 15 ① 16 ⓒ

내신 Level Up
정답 나폴레옹이 스스로를 프랑스의 황제라고 선언했고 평등의 가치를 버렸다.
해설 news 뒤에 나오는 that절은 동격절로 news를 설명해 주고 있다.

구문 Level Up
정답 Smiling brightly
해설 접속사(As)를 생략하고, 주절의 주어(he)와 부사절의 주어(he)가 같을 때 부사절의 주어(he)를 생략한다. 동사(smiled)는 시제가 같은 경우 「동사원형+-ing」의 형태로 바꿔서 smiling으로 쓴다.

Day 02 **Reading 01**

▶ pp.14~15

아프리카 예술을 만난 유럽 예술

지문 분석

❶ African art is known for its sculptures. ❷ African sculptures
<u>~으로 유명하다(= be famous for)</u>
include figures of people, animals, and many objects.

❸ Many ancient African sculptures were made (A) **of / from**
<u>be made of: ~으로 만들어지다(물리적 변화)</u>
wood. ❹ Unfortunately, few of these sculptures exist.
<u>거의 없는</u>
❺ Sculptures made of metal and clay have lasted longer.
<u>과거분사구</u>
❻ The oldest African sculptures [that still exist] were made
<u>선행사</u> <u>관계대명사절(주격)</u>
about 2,000 years ago. ❼ African sculptures were largely
<u>閉 크게</u>
unknown outside Africa. ❽ However, at the start of the
20th century, artists, like Picasso and Modigliani, became
<u>젠 ~와 같은</u>
aware of African art. ❾ African art showed the power of
<u>become aware of: ~을 알게 되다</u>
(B) **organizing / organized** forms. ❿ European artists no longer
<u>수동 관계</u> <u>더 이상 ~ 않다</u>
tried to make their art look like [what they saw in real life].
<u>try+to부정사: ~하려고 애쓰다</u> <u>~처럼 보이다</u> <u>선행사를 포함하는 관계대명사</u>
⓫ They wanted to use the same shapes and forms[that African
<u>want+to부정사(목적어)</u> <u>선행사</u> <u>관계대명사절(목적격)</u>
artists (C) **had / have** used].
<u>과거완료시제(had+p.p.)</u>

지문 해석

❶ 아프리카 예술은 조각으로 유명하다. ❷ 아프리카의 조각들은 사람, 동물, 그리고 많은 물체의 모양을 포함한다. ❸ 많은 고대의 아프리카 조각들은 나무로 만들어졌다. ❹ 불행히도, 이러한 조각 중 남아 있는 것은 거의 없다. ❺ 금속과 진흙으로 만들어진 조각들은 더 오래 간다. ❻ 아직 남아 있는 가장 오래된 아프리카의 조각들은 약 2천 년 전에 만들어졌다. ❼ 아프리카의 조각들은 아프리카 외부에는 크게 알려지지 않았다. ❽ 그러나 20세기 초에 피카소와 모딜리아니 같은 화가들이 아프리카 예술에 대해 알게 되었다. ❾ 아프리카 예술은 구조화된 형태의 힘을 보여 주었다. ❿ 유럽의 예술가들은 더 이상 그들의 작품을 실생활에서 보았던 것처럼 보이도록 만들기 위해 애쓰지 않았다. ⓫ 그들은 아프리카의 예술가들이 사용했던 것과 똑같은 모양과 방식을 사용하기를 원했다.

정답인 이유

1 어법성 판단

정답 ③

해설
(A) be made of는 물리적 변화를 나타내고, be made from은 화학적 변화를 나타내므로 of가 적절하다.
(B) form을 꾸며주는 말로 수동 관계이므로 '구조화된'이라는 의미의 과거분사 organized가 온다.
(C) 과거(wanted)보다 먼저 일어난 일에 대한 설명이므로 대과거 (had+p.p.)로 표현한다.

2 제목 추론

정답 ③

해설 이 글은 유럽의 예술가들이 아프리카의 예술에 영향을 받았다는 내용이다.

해석 이 글의 제목으로 가장 적절한 것은?
① 아프리카의 예술가들
② 알려지지 않은 세계: 아프리카
③ 아프리카 예술의 영향
④ 가장 오래된 아프리카 조각들
⑤ 가장 유명한 예술가: 파블로 피카소

3 서술형

정답 (1) famous (2) influence (3) same

해석 아프리카 예술, 특히 아프리카 조각은 매우 유명하다. 그것은 고유한 스타일이 있다. 아프리카 조각은 유럽 예술가들 사이에 강력한 영향을 미쳤다. 그들 중 몇몇은 아프리카 예술가들이 한 것과 같은 모양과 방식을 사용하기를 원했다.

제대로 독해법

어휘 Level Up

1ⓝ 2ⓖ 3ⓔ 4ⓚ 5ⓐ 6ⓞ 7ⓓ 8ⓙ 9ⓘ
10ⓒ 11ⓗ 12ⓛ 13ⓑ 14ⓕ 15ⓜ 16ⓔ

내신 Level Up

정답 나무로 만들어져서

해설 ❸~❺에서 아프리카 조각이 나무로 만들어졌고, 이러한 조각 중 남아 있는 것은 거의 없다고 했으며 금속과 진흙으로 만들어진 조각은 더 오래 간다고 설명하고 있다.

구문 Level Up

정답 1. take 2. is

해설
1. 선행사가 복수명사(People)이므로 관계사절의 동사도 복수동사 take가 와야 한다.
2. 선행사가 단수명사(The girl)이므로 관계사절의 동사도 단수동사 is가 와야 한다.

▶ pp.16~17

인상파 화가, 클로드 모네

지문 분석

관계대명사의 계속적 용법
❶ Claude Monet is one of the most famous impressionists, who
one of the 최상급 + 복수명사: 가장 ~한 것들 중의 하나
captured the image of an object as it was perceived. ❷ In fact,
전 ~대로   사실
the term "impressionist" was first made after Monet exhibited
전 ~ 후에
his famous *Impression, Sunrise* painting. ❸ Today, impressionist
art is so popular that fans pay millions of dollars, for it.
so + 형용사/부사 + that + 주어 + 동사: 너무 ~해서 …하다   = impressionist art
❹ However, ㉠such was not the case in the mid-1800s. ❺ Back
전 ~ 처럼
then, artists painted only portraits of models dressed as Greek
↑   과거분사구
gods or historical people. ❻ Unlike those artists, Monet kept
cf. every day 부 매일   전치사구 / unlike 전 ~와는 달리   keep + -ing: 계속 ~하다
painting everyday things like ordinary people or beautiful nature.
형 일상적인, 매일의   전 ~와 같은
❼ So, impressionists, like Monet [who tried a different art style],
주어   전 ~와 같은↑ 관계대명사절(주격)
were laughed at by the critics at that time. ❽ As time went on,
동사(수동태: be동사 + p.p.)   전 ~함에 따라
things have changed. ❾ Now Claude Monet is considered one
현재완료시제(have / has + p.p.)   주어1   동사1(수동태)
of the most influential artists and his paintings are sold at high
one of the 최상급 + 복수명사: 가장 ~한 것들 중의 하나 주어2   동사2(수동태)
prices.

지문 해석

❶ 클로드 모네는 가장 유명한 인상파 화가들 중 한 사람인데, 사물이 인식되는 대로 그것의 이미지를 포착했다. ❷ 사실 '인상파 화가'라는 용어는 모네가 그의 유명한 〈인상, 해돋이〉 그림을 전시한 후에 처음 만들어졌다. ❸ 오늘날 인상파 미술은 매우 인기 있어서 팬들은 그것에 대해 수백만 달러를 지불한다. ❹ 그러나 1800년대 중반에는 그렇지가 않았다. ❺ 그 당시에는 화가들이 오로지 그리스의 신이나 역사적 인물들처럼 옷을 입은 모델들의 초상화만을 그렸다. ❻ 그러한 화가들과는 달리 모네는 보통의 사람들 혹은 아름다운 자연과 같은 일상적인 것들을 계속 그렸다. ❼ 그래서 다른 미술 양식을 시도한 모네와 같은 인상파 화가들은 그 당시의 비평가들에 의해 조롱을 당했다. ❽ 시간이 지남에 따라 상황은 바뀌었다. ❾ 이제 클로드 모네는 가장 영향력 있는 화가들 중 한 사람으로 여겨지고 그의 작품은 높은 가격에 팔린다.

정답인 이유 ✏️

1 내용 일치

정답 ③

해설 당시의 화가들은 그리스 신이나 역사적 인물들처럼 옷을 입은 모델들의 초상화만을 그렸는데 모네는 보통의 사람들과 아름다운 자연과 같은 일상적인 것들을 그렸다고 했으므로 ③은 내용과 일치하지 않는다.

2 빈칸 추론

정답 ②

해설 모네처럼 다른 미술 양식을 시도한 인상파 화가들이 그 당시의 비평가들에 의해 조롱을 당했으므로 문맥상 빈칸에는 ② '다른 미술 양식을 시도한'이 적절하다.

해석 빈칸에 들어갈 말로 가장 적절한 것은?
① 전혀 독특하지 않은   ② 다른 미술 양식을 시도한
③ 매일 그림을 연습한   ④ 자주 자신의 그림 스타일을 바꾼
⑤ 그 당시의 전통을 따른

3 서술형

정답
(1) 그리스 신이나 역사적 인물들처럼 옷을 입은 모델들의 초상화만을 그렸다.
(2) 보통의 사람들 혹은 아름다운 자연과 같은 일상적인 것들을 그렸다.

해설
(1) ❹~❺에서 1800년대 중반 그림의 특징에 대해 설명하고 있다.
(2) ❻에서 기존과 다른 미술 양식을 시도한 모네 그림에 대해 설명하고 있다.

제대로 독해법

어휘 Level Up

1 ⑨   2 ①   3 ⑫   4 ⑭   5 ⓒ   6 ⑤   7 ⑩   8 ①   9 ⑪
10 ⑥   11 ⑩   12 ⑯   13 ①   14 ⑥   15 ⑧   16 ⑪

내신 Level Up

정답 인상파 미술이 매우 인기가 있어서 팬들이 수백만 달러를 지불하는 것
해설 such가 가리키는 내용이 바로 앞 문장(Today, impressionist art ~ for it.)에 제시되어 있다.

구문 Level Up

정답 so nice that I went for a walk
해설 「so + 형용사/부사 + that + 주어 + 동사」 구문을 사용하여 '매우 좋아서 나는 산책을 갔다'를 표현할 수 있다.

어휘 테스트

▶ p.18

Ⓐ 1 composer   2 tore apart   3 sculptures   4 exhibited
  5 portraits   6 laughed at

Ⓑ 1 ⓒ   2 ⓐ   3 ⓑ
해석 1 강력히 촉구하다   2 작곡하다   3 비평가
ⓐ 음악을 만들어 내다
ⓑ 어떤 것에 대해 자신의 의견을 말하는 직업을 가진 사람
ⓒ 누군가가 특정한 것을 하도록 설득하려고 노력하거나 강하게 충고하다

Day 03 Reading 01

▶ pp.22~23

사우디아라비아 국기와 축구공

지문 분석

❶ When the US military were staying in Afghanistan, an Islamic
　접 ~할 때(시간)　　　　　　과거진행시제(was/were+-ing)　　　동격
country, they wanted to please the poor children. ❷ So they
　　　　　　　　　want+to부정사(목적어)
came up with the idea to give soccer balls to Afghanistan
　　　　　　　　　　　　↑——————— to부정사구(the idea 수식)
children to enjoy sports. ❸ They hoped for the peace of the
　　　　　　to부정사(~하도록, ~하기 위해서)
world, so they printed the world's national flags on the ball.
　　　　　　　　　　　　　　　　　　　　　　　국기
❹ They had thought of it as a good idea until they dropped
　　과거완료시제(had+p.p.)　전 ~로서　　　접 ~(때)까지(시간)
them from helicopters to the ground. ❺ However, people
all over the nation protested against their charity soon after.
　　전국의　　　　　　　　　　　　　　　　　　곧
❻ Why? ❼ The answer lies in the Saudi Arabian flag on the
　　　　　　(사실 등이 ~에) 있다(lie-lay-lain)
ball. ❽ The flag contains the name of Allah, and Muslims are
　　　주어1　동사1　　　　　　　　　주어2　동사2
very sensitive about [where and how it can be used in their
　　　　　　　　　　　└ 간접의문문(의문사+주어+동사)
daily life]. ❾ The problem was [that kicking the soccer ball with
one's daily life: ~의 일상생활　　　└ 명사절(보어)
Allah's name would be a great insult to any Muslim]. ❿ They
couldn't bear the precious name to be handled by feet. ⓫ The
can't bear+목적어+to부정사(목적격보어): (목적어)가 ~하는 것을 참을 수 없다
US military had good intentions, but they didn't expect such an
　　　　　　　　　　　　　　　　　　　such+(a/an)+형용사+명사 (어순 주의!)
unfortunate mistake.　　　　　　　　cf. so+형용사+(a/an)+명사

지문 해석

❶ 미국 군대가 이슬람 국가인 아프가니스탄에 주둔해 있을 때, 그들은 가난한 아이들을 기쁘게 해주고 싶었다. ❷ 그래서 그들은 스포츠를 즐길 수 있도록 아프가니스탄 아이들에게 축구공을 주는 아이디어를 생각해냈다. ❸ 그들은 세계 평화를 희망해서 세계 국기들을 (축구)공 위에 인쇄했다. ❹ 그들은 그것들(공들)을 헬리콥터에서 땅으로 떨어뜨릴 때까지는 그것을 좋은 아이디어라고 생각했다. ❺ 그러나 곧 전 국민들이 그들의 자선 행위에 대해 항의했다. ❻ 왜 그랬을까? ❼ 답은 (축구)공 위에 있는 사우디아라비아의 국기에 있다. ❽ 그 국기는 알라(이슬람교의 신)의 이름이 포함되어 있고 이슬람교도들은 그것(알라의 이름)이 그들의 일상생활 중 어디서 어떻게 쓰이는지 굉장히 민감하다. ❾ 문제는 알라의 이름이 있는 축구공을 발로 차는 것이 이슬람교도들에게 큰 모욕이라는 것이었다. ❿ 그들은 그 소중한 이름이 발로 다뤄지는 것을 참을 수 없었다. ⓫ 미국 군대는 좋은 의도를 가졌지만, 이렇게 운이 없는 실수를 예상하지는 못했다.

정답인 이유

1 요약문 완성

정답 ①

해설 미국 군대의 의도는 세계 국기가 그려진 축구공을 만들어 아프가니스탄의 아이들을 즐겁게 해주는 것이므로 (A)에는 delight가 적절하다. 그러나 그들은 사우디아라비아 국기를 축구공에 인쇄할 때 이슬람교도들에게 모욕감을 줄 수 있다는 사실을 잘 몰라서 간과한 것이므로 (B)에는 간과했다는 ignored가 적절하다.

해석 미국 군대는 세계 국기가 있는 축구공을 줌으로써 아프가니스탄 아이들을 기쁘게 해주려는 의도를 가지고 있었다. 하지만 그들 문화의 중요한 부분을 간과했기 때문에 아프가니스탄 사람들을 모욕하는 일로 끝나고 말았다.

① 기쁘게 하다 ---- 간과하다　　② 겁을 주다 ---- 방해하다
③ 기쁘게 하다 ---- 인정하다　　④ 놀라게 하다 ---- 무시하다
⑤ 놀라게 하다 ---- 바꾸다

2 빈칸 추론

정답 ③

해설 빈칸 다음 문장에 나온 '그들의 소중한 이름이 발로 다뤄지는 것을 참을 수 없었다.'는 내용에서 이슬람교도들이 모욕감을 느낀 것은 그들의 신(알라)의 이름을 발로 차는 것임을 알 수 있다. 따라서 ③ '알라(신)의 이름이 있는 축구공을 발로 차는 것'이 빈칸에 가장 적절하다.

해석 빈칸에 들어갈 말로 가장 적절한 것은?
① 하늘에서 축구공을 떨어뜨리는 것
② 축구공 위에 그들의 국기를 인쇄하는 것
③ 알라(신)의 이름이 있는 축구공을 발로 차는 것
④ 축구공으로 아이들을 즐겁게 하는 것
⑤ 전국에 축구공을 뿌리는 것

3 서술형

정답 신(알라)의 이름을 함부로 대하지 않는다.

해설 마지막 부분에서 알 수 있듯이, 이슬람교도들이 신의 이름이 함부로 다뤄지는 것에 대해 민감하므로 조심해야 한다. 신(알라)의 이름을 사용하는 데 조심해야 한다는 내용을 적으면 정답으로 인정한다.

제대로 독해법

어휘 Level Up

1 ⑨　2 ⓗ　3 ⓘ　4 ⓒ　5 ⓛ　6 ⓑ　7 ⓓ　8 ⓝ　9 ⓚ
10 ⓕ　11 ⓐ　12 ⓙ　13 ⓜ　14 ⓔ　15 ⓞ

내신 Level Up

정답 세계 평화를 희망해서

해설 ❸에서 미국 군대가 세계 평화를 희망해서 공에 세계 국기를 인쇄해 넣었다고 설명하고 있다.

구문 Level Up

정답 1. such a famous director　2. so cute a girl

해설
1. 「such (+a/an)+형용사+명사」의 어순으로 나타낸다.
2. 「so+형용사 (+a/an)+명사」의 어순으로 나타낸다.

음주 운전을 하면 벌 받아요!

지문 분석

❶ Drinking and driving is illegal. ❷ If you cause an
　　　　　　　　　　　　　　　　(you are)　　접 ~라면(조건)
accident while driving drunk, you will be punished by
　　　　　접 ~하면서　　　　　　　조동사가 있는 수동태(조동사+be+p.p.)
society. ❸ For example, in France, drinking and driving
　　　　　　　예를 들어
is punished by a 1,000 dollar fine and imprisonment for
수동태(be동사+p.p.)　　　　　　　　　　　명 벌금
a year. ❹ Besides, you must stop driving for three years.
　　　　　게다가　　　　　　　　stop+-ing: ~하는 것을 멈추다
❺ How about in Finland? ❻ Drunk drivers are put in prison with
　　How about ~?: ~은 어때?
hard labor for a year. ❼ Do you think [that this is too much for
　　중노동　　　　　　　　　　　　　명사절(think의 목적어)
drinking and driving]? ❽ Then you will be surprised to hear this.
　　　　　　　　　　　　　감정을 나타내는 형용사 to부정사(감정의 원인)
❾ If you drive drunk in South Africa, you will have to stay in jail
접 ~라면(조건)　　　　　　　　　　　　~해야 한다
for 10 years with a 1,000 dollar fine. ❿ In Malaysia, when one
　　　　　　　　　　　　　　　　　접 ~할 때(시간)
of a married couple is caught drunk driving, both husband and
　　　　　　　　　　　　　　　both A and B: A와 B 둘 다
wife have to go to prison. ⓫ In your country, what happens
~해야 한다
㉠당신이 음주 운전으로 체포가 된다면?

지문 해석

❶ 음주 운전은 불법이다. ❷ 당신이 음주 운전을 하면서 사고를 일으키면 당신은 사회에 의해 처벌 받을 것이다. ❸ 예를 들어, 프랑스에서 음주 운전은 천 달러의 벌금과 1년 동안 수감되는 것으로 처벌을 받는다. ❹ 게다가 당신은 3년 동안 운전하는 것을 멈춰야 한다. ❺ 핀란드에서는 어떤가? ❻ 음주 운전자들은 1년 동안의 중노동과 함께 감옥에 가게 된다. ❼ 당신은 이것이 음주 운전에 대해서 너무하다고 생각하는가? ❽ 그러면 당신은 이것을 들으면 놀랄 것이다. ❾ 만약 당신이 남아프리카에서 음주 운전을 한다면 당신은 천 달러의 벌금과 함께 10년 동안 감옥에 있어야 할 것이다. ❿ 말레이시아에서는 결혼한 커플 중 한 명이 음주 운전으로 잡히면 남편과 아내 둘 다 감옥에 가야 한다. ⓫ 당신의 나라에서는 당신이 음주 운전으로 체포가 된다면 어떻게 되는가?

정답인 이유

1 내용 일치

정답 ③

해설 핀란드에서는 1년 동안의 중노동과 함께 감옥에 가게 된다고 했으므로 ③은 내용과 일치하지 않는다.

2 제목 추론

정답 ④

해설 프랑스, 핀란드, 남아프리카, 말레이시아 등을 예로 들어 나라별로 다른 음주 운전 처벌을 소개하는 글이므로 ④ '음주 운전에 대한 각각 다른 처벌들'이 글의 제목으로 가장 적절하다.

해석 이 글의 제목으로 가장 적절한 것은?
① 왜 운전하면서 술을 마시면 안 되는가?
② 속도위반 벌금은 얼마인가?
③ 음주 운전에 대한 도덕적 딜레마
④ 음주 운전에 대한 각각 다른 처벌들
⑤ 음주 습관은 나라마다 다르다

3 서술형

정답 if you are arrested for drinking and driving

해설 '~라면'이라는 조건의 뜻을 나타내는 접속사 if를 사용한 조건절 (if+주어+동사 ~)이 온다.

제대로 독해법

어휘 Level Up

1 ⓕ　2 ⓒ　3 ⓓ　4 ⓙ　5 ⓚ　6 ⓔ　7 ⓐ　8 ⓖ　9 ⓗ
10 ⓜ　11 ⓘ　12 ⓖ　13 ⓘ　14 ⓑ

내신 Level Up

정답 fine

해설 '규칙이나 법을 지키지 않은 것에 대한 처벌로 내야 하는 돈'이라는 뜻을 나타내는 단어는 fine(벌금)이다.

구문 Level Up

정답 1. 너를 다시 만나서[봐서] 2. 너를 떠나야 해서

해설
1. 감정을 나타내는 형용사 pleased 뒤에 나온 to see는 '만나서[봐서]'의 의미를 나타낸다.
2. 감정을 나타내는 형용사 sad 뒤에 나온 to have to leave는 '떠나야 해서'의 의미를 나타낸다.

해석
1. 나는 너를 다시 만나서[봐서] 매우 기쁘다.
2. 나는 너를 떠나야 해서 너무 슬프다.

Times Square Ball

지문 분석

❶ On New Year's Eve, there are special fireworks shows
＿＿12월 31일(특히 이날 밤)
to signal the start of the New Year. ❷ ⓐThe most popular
└to부정사(fireworks shows 수식)
one of all is New York City's Times Square New Year's Eve
= fireworks show
Ball Drop. ❸ ⓑThe Times Square Ball is a giant ball [that has
선행사 ↑ └관계대명사절(주격)
been lowered or dropped from the flagpole of the Times
완료형 수동태(have/has been+p.p.)
Square Building nearly every New Year's Eve since December
31, 1907]. ❹ ⓒAlso, access to Times Square is extremely
＿＿~로의 접근 └수동태(be동사+p.p.)
limited during the course of the celebration. ❺ ⓓThe ball
└＿＿during+특정 기간의 명사(구): ~ 동안
remains on the flagpole year-round, and is only lowered
자동사(수동태로 쓰이지 않음) (is) └동사1(수동태)
on New Year's Eve [or] removed for general maintenance.
동사2(수동태)
❻ ⓔ[Starting every December 31st at 11:59 p.m.],
└분사구문(= As the ball starts ~)
the ball (A) descends / ascends 23 meters over the

course of a minute, [coming to rest at exactly midnight].
└분사구문(= and it comes to ~) / come to rest: 멈춰 서다[멈추다]
❼ Fireworks are then set off, and the gathered crowd cheers
└＿＿수동태(be동사+p.p.)/ set ~ off: ~을 터뜨리다
and celebrates.

지문 해석

❶ 12월 31일에 새해의 시작을 알리는 특별한 불꽃놀이 쇼들이 있다. ❷ 그 중 가장 인기 있는 불꽃놀이 쇼는 뉴욕 시의 '타임스스퀘어 12월 31일 볼 드롭'이다. ❸ '타임스스퀘어 볼'은 1907년 12월 31일 이후 거의 매년 12월 31일에 타임스스퀘어 빌딩의 깃대에서 내려지거나 떨어져 온 거대한 공이다. ❹ (또한 타임스스퀘어로의 접근이 기념행사 진행 중에는 극도로 제한된다.) ❺ 그 공은 연중 계속 깃대 위에 있다가 12월 31일에만 내려지거나 전반적인 보수를 위해 치워진다. ❻ 매년 12월 31일 밤 11시 59분에 시작해서 그 공은 1분 동안 23미터를 내려와 정확히 자정에 멈춰 선다. ❼ 그때 불꽃이 터지고 모여든 사람들이 환호하고 축하한다.

정답인 이유

1 무관한 문장

정답 ③

해설 '타임스스퀘어 볼'에 대해 설명하고 있는 글이므로 타임스스퀘어로의 접근이 금지된다는 ⓒ는 글의 전체 흐름과 어울리지 않는다.

2 제목 추론

정답 ⑤

해설 불꽃놀이와 함께 펼쳐지는 '타임스스퀘어 12월 31일 볼 드롭'에 관한 글이므로 ⑤가 제목으로 가장 적절하다.

해석 이 글의 제목으로 가장 적절한 것은?
① 새해의 불꽃놀이
② 세계의 유명한 불꽃놀이 쇼
③ 새해의 시작을 알리는 방법
④ 타임스스퀘어 12월 31일 볼 드롭의 인기
⑤ 불꽃놀이와 함께 하는 타임스스퀘어 12월 31일 볼 드롭

3 서술형

정답 새해의 시작을 알리기 위해서

해설 글의 시작 부분에서 새해의 시작을 알리기 위한 불꽃놀이 쇼 중 가장 인기 있는 것이 '타임스스퀘어 12월 31일 볼 드롭'이라는 것을 알 수 있다.

제대로 독해법

어휘 Level Up

1 ⑨ 2 ① 3 ⓗ 4 ⓐ 5 ⓕ 6 ⓚ 7 ⓑ 8 ⓝ 9 ⓟ
10 ⓞ 11 ⓙ 12 ⓜ 13 ⓓ 14 ⓔ 15 ① 16 ⓒ

내신 Level Up

정답 descends

해설 앞부분에서 타임스스퀘어 볼이 12월 31일에 깃대에서 내려진다(is lowered)고 했으므로 공이 '내려온다(descends)'라는 표현이 올 수 있다.

구문 Level Up

정답 1. for 2. during

해설
1. 구체적인 숫자(three days)와 함께 쓰이므로 전치사 for가 알맞다.
2. 특정한 때를 나타내는 명사(our stay in Tokyo)와 함께 쓰이므로 during이 알맞다.

▶ pp.28~29

어른이 되려면 …

지문 분석

❶ How do you know [that a person is an adult]? ❷ Does the
└─명사절(know의 목적어)
person's age tell you? ❸ Or is an adult a person [who takes on
명사의 소유격 형태(명사+'s)   선행사 ↑   관계대명사절(주격)
responsibility for work and family]? ❹ One way to define an
take on responsibility: 책임을 지다   ↑ to부정사구(one way 수식)
adult is by age, but countries have very different ideas about

the legal age of an adult. ❺ In India, a man can't marry without
                              ~와 결혼하다 cf. marry with(×)
his parents' permission until the age of 21, and a woman can't
                   전 ~ 까지
marry until the age of 18. ❻ In comparison, in Brazil, a 16-year-

old person can vote, but in most African nations, people don't

have this right until they are 21. ❼ An adult is a person [who
              접 ~ (때)까지   선행사 ↑ │ 관계대명사절
can take on important responsibility]. ❽ An adult respects others
                                              주어   동사1   (주격)
and understands [that his or her own needs are not always the
동사2   명사절(understands의 목적어)   부분부정(항상 ~한 것은 아니다)
most important]. ❾ This is the social definition of an adult.

지문 해석

❶ 어떤 사람이 어른인지 어떻게 알까? ❷ 그 사람의 나이가 당신에게 말해 줄
까? ❸ 혹은 어른은 일과 가정에 대한 책임을 지는 사람일까? ❹ 어른을 정의
하는 한 가지 방법은 나이에 의한 것이지만 나라마다 어른의 법적인 나이에
대해 매우 다른 생각을 가지고 있다. ❺ 인도에서 남자는 21살까지 부모의 허
락 없이 결혼할 수 없고, 여자는 18세까지 결혼할 수 없다. ❻ 비교하여, 브라
질에서 16세가 된 사람은 투표할 수 있다. 그러나 많은 아프리카 국가에서 사
람들은 21살이 될 때까지 이러한 권리가 없다. ❼ 어른은 중요한 책임을 질 수
있는 사람이다. ❽ 어른은 다른 사람들을 존중하고, 자신의 욕구가 항상 가장
중요한 것은 아니라는 것을 이해한다. ❾ 이것이 어른에 대한 사회적 정의이다.

정답인 이유 ✏

1 내용 일치

정답 ②

해설 인도에서 부모의 허락 없이 결혼이 가능한 나이는 여자 18세 이
상이므로 ②는 내용과 일치하지 않는다.

2 주제 추론

정답 ⑤

해설 어른에 대한 사회적 정의를 살펴보고 있으므로 ⑤가 주제로 가
장 적절하다.

해석 이 글의 주제로 가장 적절한 것은?
① 사람들이 결혼을 하는 이유
② 당신이 결혼할 수 있는 나이
③ 투표를 할 수 있는 최소한의 나이
④ 자기 자신에 대해 책임지는 방법
⑤ 어른에 대한 사회적 정의

3 서술형

정답 (1) teenagers (2) think (3) responsible

해설 어떤 나라에서는 십 대에게 결혼과 투표 같은 어른의 책임을 질
권리를 주지만 그것은 나라마다 다르다. 대부분의 사람들은 어른이 자
신이 하는 것에 대해 책임을 질 수 있는 사람이라고 생각한다.

제대로 독해법

어휘 Level Up

1 ⓙ 2 ⓐ 3 ⓑ 4 ⓘ 5 ⓒ 6 ⓖ 7 ⓕ 8 ⓙ 9 ⓞ
10 ⓝ 11 ⓔ 12 ⓚ 13 ⓗ 14 ⓜ 15 ⓓ

내신 Level Up

정답 중요한 책임을 질 수 있는 사람, 다른 사람을 존중하고 자신의 욕구가
항상 가장 중요한 것은 아니라는 것을 이해하는 사람

해설 마지막 두 문장에서 어른에 대한 사회적 정의를 설명하고 있다.

구문 Level Up

정답 entered

해설 enter는 전치사 없이 목적어가 바로 오는 타동사이므로 entered가
알맞다.

어휘 테스트

▶ p.30

Ⓐ 1 legal 2 permission 3 vote 4 gathered
5 protested 6 precious

Ⓑ 1 ⓑ 2 ⓐ 3 ⓒ
해석 1 정의하다 2 머무르다 3 (남을) 기쁘게 하다
ⓐ 어떤 장소나 상황에서 떨어지거나 떠나지 않다
ⓑ 무언가, 특히 단어의 의미가 무엇인지 말하다
ⓒ 누군가가 행복하거나 만족스럽다고 느끼게 하거나 누군가에게 기쁨을 주다

Day 05 Reading 01

▶ pp.34~35

먹는 빨대, 쌀 빨대

지문 분석

❶ Plastic straws, which we use conveniently when drinking, are
관계대명사의 계속적 용법 (we are) 접 ~할 때 동사
rather ⓐdangerous to some animals. ❷ For example, they may
예를 들어 = plastic straws
accidentally get stuck up a sea turtle's nostril and lead the animal
동사1 동사2
to death. ❸ So many restaurants and cafes are determined not

to use plastic straws and try to use some ⓑalternative ones
not+to부정사(to부정사의 부정형) try+to부정사: ~하려고 노력하다 = straws
such as paper straws [that are not harmful to any creatures].
~와 같은(= like) 선행사 관계대명사절(주격)
❹ However, they are ⓒrarely used in reality, because they are
튄 약, 대략 빈도부사(거의 ~않는) 실제로는
about six times more costly than plastic straws. ❺ Meanwhile,
배수사+비교급+than: ~ 배 더 …한[하게](= 배수사+as+원급+as) 한편
some smart people invented a straw [that is a little ⓓcheaper
선행사 관계대명사절(주격)
than a paper one: a rice straw]. ❻ This eco-friendly item is made
be made out of: ~으로 만들어지다
out of rice, but does not easily melt in water. ❼ In addition, you
게다가
can "taste" it after drinking if you want — it tastes like *nurungji*.

❽ Still, people are very ⓔeager to use it because a plastic straw
(×) → reluctant(○)
is more economical. ❾ However, if we consider what matters
접 ~라면
after all, we should try to use this.
결국 try+to부정사
: ~하려고 노력하다

지문 해석

❶ 우리가 마실 때 편리하게 사용하는 플라스틱 빨대는 어떤 동물들에게는 오히려 위험할 수 있다. ❷ 예를 들어, 이것이 바다거북의 콧구멍에 우연히 꽂혀 그 동물을 죽음에 이르게 할 수 있다. ❸ 그래서 많은 식당들과 카페들은 플라스틱 빨대를 사용하지 않기로 정해져 어떠한 생물에도 해롭지 않은 종이 빨대 같은 대안 빨대를 사용하려고 노력한다. ❹ 그러나 그것들은 실제로는 거의 사용되지 않는데, 플라스틱 빨대보다 약 6배나 비싸기 때문이다. ❺ 한편, 일부 똑똑한 사람들이 종이 빨대보다 약간 싼 빨대인 쌀 빨대를 발명했다. ❻ 이 친환경적인 물건은 쌀로 만들어지지만, 물에서 쉽게 잘 녹지 않는다. ❼ 게다가 당신이 원한다면 음료를 마신 후에 이것을 '맛볼' 수 있다. 이 것은 '누룽지' 맛이 난다. ❽ 그러나 사람들은 플라스틱 빨대가 더 경제적이기 때문에 이것(쌀 빨대)을 사용하고 싶어 한다(→ 사용하기 꺼린다). ❾ 그러나, 우리가 결국 무엇이 중요한지 고려한다면, 우리는 이걸 사용하려고 노력해야 한다.

정답인 이유 ✏

1 목적 추론

정답 ①

해설 이 글은 플라스틱 빨대의 단점을 부각시키고 쌀 빨대의 장점과 사용해야 하는 이유를 언급하며 쌀 빨대의 사용을 권장하는 글이다.

2 어휘 파악

정답 ⑤

해설 ⓔ eager(간절히 바라는)는 still(그러나)이라는 연결어의 맥락으로 미루어 볼 때, 사람들이 비용 때문에 쌀 빨대를 사용하기 꺼린다는 reluctant로 고쳐 써야 한다.

해석 ⓐ~ⓔ 중에서 낱말의 쓰임이 적절하지 않은 것은?

3 서술형

정답
(1) eco-friendly / not harmful
(2) dangerous, harmful

해설
(1) ❻에서 쌀 빨대가 친환경적인(eco-friendly) 물건이라고 언급되어 있다. 또는 ❸의 'not harmful (to any creatures)'이라는 말도 정답으로 인정한다.
(2) 첫 번째 문장에서 플라스틱 빨대가 위험하고(dangerous), ❸에서 해롭다(harmful)는 힌트를 얻을 수 있다. 생물을 해친다는 내용이 들어가면 정답으로 인정한다.

제대로 독해법

어휘 Level Up

1ⓞ 2ⓓ 3ⓝ 4ⓐ 5ⓖ 6ⓑ 7ⓘ 8ⓕ 9ⓜ
10ⓔ 11ⓚ 12ⓛ 13ⓟ 14ⓗ 15ⓒ 16ⓙ

내신 Level Up

정답 플라스틱 빨대보다 비싸기 때문에

해설 However 이후에 나오는 ❹에서 종이 빨대 같은 대안 빨대가 플라스틱 빨대보다 비싸기 때문에 실제로는 거의 사용되지 않는다고 설명하고 있다.

구문 Level Up

정답
1. eighty times heavier than the moon
2. three times higher than my school

해설 1, 2. 「배수사+비교급+than」의 형태로 쓴다.

호수 위, 지붕 위에 설치하는 태양광 패널

지문 분석

❶ The use of solar panels is increasing more and more due to
<u>점점 더</u> <u>~ 때문에</u>
the rising energy demand. ❷ Some people are worrying [that
명사절(목적어)
ⓐthey may damage the ecosystem if the panels are installed on
접 ~라면
mountains]. ❸ That is, it may cause many trees to be cut down,
즉 <u>cause + 목적어 + to부정사: (목적어)가 ~하게 하다</u>
which puts wildlife in danger. ❹ Moreover, the temperature
관계대명사의 계속적 용법 게다가
around ⓑthem may go higher than before, [worsening the
<u>비교급 + than</u> 분사구문(= and it may worsen ~)
global warming effect]. ❺ (A) The soil under them might even
부 심지어
roll downward after heavy rainfall. ❻ (B) So some scientists are
trying to find alternative places to set ⓒthem up. ❼ (C) For
try + to부정사: ~하려고 노력하다 to부정사구(alternative places 수식)
example, ⓓthey can float on lakes, lay on the factory roofs, or
A, B, or C 병렬구조
hang on the noise barriers along the highway. ❽ (D) Highway
noise is a serious environmental problem in city areas.

❾ (E) These solutions are more eco-friendly, because we do
접 ~ 때문에
not need to remove the trees or will not cast a shadow with
do not need to: ~할 필요가 없다
ⓔthem.

지문 해석

❶ 태양광 패널의 사용은 증가하는 에너지 수요 때문에 점점 더 늘어나고 있다. ❷ 일부 사람들은 이 패널들이 산에 설치된다면 생태계에 피해를 입힐 수도 있다고 우려하고 있다. ❸ 즉, 이것은 많은 나무들이 잘려나가게 할 수 있는데, 이것은 야생 동물을 위험에 빠뜨린다. ❹ 게다가, 그것들(태양광 패널) 주변의 온도가 전보다 더 상승하여, 지구 온난화 효과를 악화시킬 수 있다. ❺ 심지어 집중호우 이후에 그것들(태양광 패널) 아래 흙이 아래로 굴러 떨어질지도 모른다. ❻ 그래서 일부 과학자들은 그것들(태양광 패널)을 설치할 대안적인 장소를 찾으려고 노력하고 있다. ❼ 예를 들어, 그것들은 호수 위에 떠 있을 수도 있고, 공장 지붕 위에 있을 수도 있으며, 고속도로를 따라 (서 있는) 방음벽에 매달려 있을 수도 있다. ❽ (고속도로 소음은 도시 지역에서 심각한 환경 문제이다.) ❾ 이 해결책들은 좀 더 친환경적인데, 우리가 나무를 제거할 필요가 없고 그것으로 그늘이 드리워지지 않기 때문이다.

정답인 이유

1 지칭 추론
정답 ⑤
해설 ⓔ는 나무를 가리킨다. ⓐ, ⓑ, ⓒ, ⓓ는 태양광 패널인 solar panels를 지칭한다.

2 무관한 문장
정답 ④
해설 (D)는 고속도로 소음의 문제점에 대해 언급하고 있으므로 태양광 패널에 대한 글의 전체 흐름과 관련이 없다.
해석 (A) ~ (E) 중에서 이 글의 전체 흐름과 관계없는 문장은?

3 서술형
정답
(1) 산의 나무를 베어내면서 많은 야생 동물들이 위험에 처할 수 있다.
(2) 태양광 패널 근처의 온도가 올라가 지구 온난화를 악화시킬 수 있다.
(3) 집중호우 이후에 태양광 패널 아래 흙이 굴러 떨어질 수 있다.
해설 본문 중간에 태양광 패널을 산에 설치했을 때 발생할 수 있는 문제점을 언급하는 부분이 나온다.

제대로 독해법

어휘 Level Up
1 ⓕ   2 ⓓ   3 ⓒ   4 ⓑ   5 ⓔ   6 ⓙ   7 ⓝ   8 ⓜ   9 ⓘ
10 ⓗ   11 ⓖ   12 ⓛ   13 ⓚ   14 ⓐ

내신 Level Up
정답 나무를 제거할 필요가 없고 나무 위에 그늘이 드리워지지 않기 때문에
해설 마지막 문장에서 호수 위나 공장 지붕 위, 고속도로 방음벽에 태양광 패널을 설치하는 것이 좀 더 친환경적인 이유를 설명하고 있다.

구문 Level Up
정답 but she
해설 계속적 용법으로 쓰인 관계대명사는 「접속사 + 대명사」로 바꿔 쓸 수 있는데, 선행사가 the princess이므로 she를 써야 한다.

▶ pp.38~39

베니스를 구하라!

지문 분석

❶ Have you heard of Venice? ❷ It is an attractive city in Italy.
Have+주어+p.p.~?: ~해 본 적이 있니? (현재완료 의문문)
❸ It is called the "City of Water" because it is built on water.
수동태(be동사+p.p.)   접 ~ 때문에   수동태(be동사+p.p.)
❹ Many tourists have visited to see beautiful water scenery
병렬구조(to부정사구)
and ⓐto take a fun gondola ride there. ❺ Sad to say, there
유감스럽게도
is a serious problem with this city. ❻ Every year it sinks
there is+단수명사: ~이 있다
a few centimeters. ❼ This is because of frequent floods.
because of+명사구: ~ 때문에
❽ The increase in flooding is due to global warming, ⓑwhich
~ 때문에   관계대명사의 계속적 용법
causes higher sea levels. ❾ A recent climate change study has
warned [that Venice will be under water by 2100]. ❿ Eventually,
명사절(warned의 목적어)
the city will ⓒcompletely disappear. ⓫ The Italian government,
현재완료진행(have/has+been+-ing)
scientists, and architects have been doing their best to find a
A, B, and C 병렬구조: A와 B 그리고 C   do one's best: 최선을 다하다   to부정사(~하기 위해서)
solution. ⓬ In 2003, the MOSE project ⓓlaunched to protect
(×) → was launched (○) to부정사(~하기 위해서)
Venice from the floods. ⓭ If they can't ㉠stop Venice from
접 ~라면   stop A from -ing: A가 ~하는 것을 막다
ⓔsinking, we will lose this unique and beautiful city.

지문 해석

❶ 베니스에 대해 들어본 적이 있나? ❷ 그것은 이탈리아의 매력적인 도시이다. ❸ 그것은 물 위에 지어졌기 때문에 '물의 도시'라고 불린다. ❹ 많은 관광객들이 아름다운 수상 풍경을 보기 위해서, 그리고 그곳에서 재미있는 곤돌라를 타기 위해 방문한다. ❺ 유감스럽게도, 이 도시에는 심각한 문제가 있다. ❻ 매년 그것은 몇 센티미터씩 가라앉고 있다. ❼ 이것은 잦은 홍수 때문이다. ❽ 홍수의 증가는 지구 온난화 때문인데, 그것은 더 높은 해수면을 초래한다. ❾ 최근 기후 변화 연구는 베니스가 2100년쯤에 물속에 잠길 거라고 경고한다. ❿ 결국 그 도시는 완전히 사라질 것이다. ⓫ 이탈리아 정부와 과학자 그리고 건축가들은 해결책을 찾기 위해 최선을 다하고 있다. ⓬ 2003년에 베니스를 홍수로부터 보호하기 위해 모세 프로젝트가 시작되었다. ⓭ 만약 그들이 베니스가 가라앉는 것을 막지 못하면, 우리는 이 독특하고 아름다운 도시를 잃어버릴 것이다.

정답인 이유

1 어법성 판단
정답 ④
해설 ⓓ 주어 the MOSE project가 '시작되어진' 것이므로 수동태(be동사+p.p.) 형태 was launched로 고쳐 써야 한다.

2 제목 추론
정답 ②
해설 지구 온난화의 영향으로 해수면이 상승하면서 베니스가 물에 잠기고 있다는 내용이므로 ② '베니스가 물속으로 가라앉고 있다'가 제목으로 적절하다.
해석 이 글의 제목으로 가장 적절한 것은?
① 베니스, 수상 스포츠의 도시
② 베니스가 물속으로 가라앉고 있다
③ 베니스의 홍수를 예방하는 방법
④ 물의 도시: 관광 명소
⑤ 지구 온난화를 막는 것의 중요성

3 서술형
정답 (1) sinking (2) save
해설
(1) are trying과 병렬구조를 이루므로 현재진행형(be동사+-ing)으로 나타낸다.
(2) try+to부정사: ~하려고 노력하다
해석 불행하게도, 유명한 도시인 베니스는 가라앉고 있고 사람들은 그것을 구하려고 노력하고 있다.

제대로 독해법

어휘 Level Up
1ⓑ 2ⓞ 3ⓘ 4ⓝ 5ⓗ 6ⓖ 7ⓙ 8ⓒ 9ⓓ
10ⓕ 11ⓓ 12ⓔ 13ⓘ 14ⓐ 15ⓚ 16ⓜ 17ⓟ

내신 Level Up
정답 ②
해설 「stop / keep / prevent / prohibit / discourage+A+from+-ing」: A가 ~하는 것을 막다, 금지하다

구문 Level Up
정답 to become a professional golfer
해설 '되기 위해'는 to부정사(to become)로 표현할 수 있다.

Day 06 Reading 02

▶ pp.40~41

데스밸리, 진짜 죽음의 지역인가?

지문 분석

❶ Death Valley is one of the hottest and driest places in the
<u>one of the 최상급 + 복수명사: 가장 ~한 것들 중의 하나</u>
United States. ❷ It is said to have been named by a group of
<u>~라고 전해지다</u>
travelers lost here in the 19th century. ❸ Because of its desert-
<u>형용사구</u> <u>because of + 명사(구): ~ 때문에</u>
like landscape and high temperature, ㉠they thought [that
<u>명사절</u>
this valley would be their grave], but thankfully most of them
survived. ❹ It is said that when they were rescued, one of the
<u>~라고 전해지다</u> <u>졉 ~할 때</u>
men said "goodbye, death valley," which became its name.
<u>관계대명사의 계속적 용법</u>
❺ Then, is it really a place to sweat to death? ❻ The answer
<u>to부정사구(a place 수식)</u>
is yes. ❼ In the middle of the desert, the hot air cannot
<u>~의 한가운데에서</u>
escape, [trapped in sand and rocks]. ❽ It rises along the valley
<u>분사구문(= and it is trapped in ~)</u> <u>동사1</u>
walls, cools slightly <u>and</u> then lowers back to the valley floor to
<u>동사2</u> <u>동사3</u>
be heated more by the hot sand. ❾ This makes this place hotter
<u>to부정사(결과)</u> <u>make + 목적어 + 목적격보어: 5형식</u>
and drier than any other area in the United States, and only

about 900 creatures can survive in Death Valley.

지문 해석

❶ 데스밸리는 미국에서 가장 뜨겁고 건조한 장소 중 하나다. ❷ 이것은 19세기에 여기서 길을 잃은 한 여행자 집단에 의해 이름이 지어졌다고 전해진다. ❸ 사막 같은 지형과 높은 온도 때문에, 그들은 이 계곡이 그들의 무덤이 될 것이라고 생각했지만, 다행스럽게도 그들 대부분이 살아남았다. ❹ 그들이 구조될 때 그 사람들 중 한 명이 "잘 있어, 데스밸리(죽음의 계곡)"라고 말했고, 이것이 그것의 이름이 되었다고 전해진다. ❺ 그렇다면, 이곳은 정말로 죽을 정도로 땀을 흘릴 장소일까? ❻ 정답은 '그렇다'이다. ❼ 사막 한가운데에서, 뜨거운 공기가 탈출하지 못하고, 모래와 바위에 갇혀 있다. ❽ 이것은 계곡의 벽을 따라 상승하다가 약간 식은 다음 다시 계곡 바닥으로 내려가는데, 결국 뜨거운 모래에 의해 더 가열이 된다. ❾ 이것이 이 장소를 미국의 다른 어떤 장소보다 더 뜨겁고 건조하게 만들고, 약 900여종의 생명체만이 데스밸리에서 살아남을 수 있다.

정답인 이유

1 내용 일치

정답 ⑤

해설 마지막 문장에서 900여종의 생명체가 멸종된 것이 아니라 살아남았다고 했으므로 ⑤는 글의 내용과 일치하지 않는다.

2 밑줄 추론

정답 ②

해설 'they thought that this valley would be their grave'는 '이 계곡이 그들의 무덤이 될 것이라고 생각했다'라는 뜻으로 '무덤이 된다는 것'은 문맥상 '죽을까봐 두려워했다'는 것을 의미한다.

해석 밑줄 친 ㉠이 의미하는 바로 가장 적절한 것은?
① 그들은 죽은 후, 그곳에 묻히길 희망했다.
② 그들은 거기서 죽을까봐 두려워했다.
③ 그들은 쉽게 발견될 수 있을 거라고 믿었다.
④ 그들은 그곳이 살기 좋은 장소라는 것을 깨달았다.
⑤ 그들은 거기에 처음 온 사람들이라고 가정했다.

3 서술형

정답 뜨거운 공기가 모래와 바위에 계속 갇혀 있어서

해설 뜨거운 공기가 탈출하지 못하고 계곡을 따라 상승하다가 다시 내려가 뜨거운 모래에 의해 더 가열되어 가장 뜨겁고 더운 지역이 된다. (뜨거운 공기, 모래, 바위(계곡)에 갇혀 있다는 내용이 들어가면 정답으로 인정한다.)

제대로 독해법

어휘 Level Up

1 ① 2 ④ 3 ① 4 ⓒ 5 ① 6 ⓗ 7 ① 8 ⓑ 9 ⓚ
10 ⓖ 11 ⓔ 12 ⓐ

내신 Level Up

정답 rescue

해설 '누군가 또는 어떤 것을 위험하거나 해롭거나 어려운 상황에서 구하다'라는 뜻을 갖는 단어는 rescue(구조하다)이다.

구문 Level Up

정답
1. one of the most popular singers
2. one of the most important things

해설 1, 2. 「one of the 최상급 + 복수명사」 표현을 사용하여 나타낼 수 있다.

어휘 테스트

▶ p.42

Ⓐ 1 straw 2 melt 3 installed
4 floods 5 grave 6 escape

Ⓑ 1 ⓒ 2 ⓑ 3 ⓐ
해석 1 값비싼, 비용이 많이 드는 2 (물에) 뜨다 3 가두다
ⓐ 열이나 물 같은 것을 한 장소에 있게 하다
ⓑ 액체 표면 위에 머무르고 가라앉지 않다
ⓒ 값비싼, 특히 비용이 많이 드는

Chapter 4 Health

Day 07 Reading 01

▶ pp.46~47

암, 무섭지 않아요!

지문 분석

❶ Cancer can be a ⓐscary word, but it doesn't have to be.
조동사+동사원형 ⟋주변에 ~할 필요가 없다

❷ It's a disease [that's been around for millions of years and has
선행사 ⌐ 관계대명사절(주격) 수백만 년
even been found in dinosaur bones]!
현재완료 수동태(have/has been+p.p.)

(B) ❸ It is a common disease. ❹ Almost everyone knows

someone [who has gotten very sick or died from cancer].
선행사 ⌐ 관계대명사절(주격)

❺ Cancer begins when cells in a part of the body start to
접 ~할 때 주어' 동사' = growing
grow out of control.
통제할 수 없이

(A) ❻ The human body is made up of hundreds of different
~으로 구성되다 수백의 to부정사(~하기 위해)
sorts of cells. ❼ They all have different jobs to make the
make+목적어+동사원형: (목적어)가 ~하게 하다
body work. ❽ Normal cells know when to grow and

know when to stop growing. ❾ Over time, they also die.
stop+동명사(목적어)

(C) ❿ Unlike these normal cells, cancer cells just continue to
전 ~와 달리 ⌐
grow and don't die when they're supposed to. ⓫ When cells
⌐ = growing 접 ~할 때 ~하기로 되어 있다
go wrong, they can start destroying healthy body tissue.
잘못되다 = to destroy

지문 해석

❶ 암은 무서운 단어일 수 있지만 꼭 그럴 필요는 없다. ❷ 그것은 수백만 년 동안 주변에 있어왔고 심지어 공룡 뼈에서도 발견되는 질병이다! (B) ❸ 그것은 흔한 질병이다. ❹ 거의 모든 사람들이 암에 걸려 매우 아프거나 암으로 죽은 사람을 알고 있다. ❺ 암은 신체의 한 부분에 있는 세포가 통제할 수 없이 자라기 시작할 때 발생한다. (A) ❻ 인간의 몸은 수백 개의 다른 종류의 세포로 구성되어 있다. ❼ 그것들은 모두 신체가 움직일 수 있도록 하기 위해 다른 일을 한다. ❽ 정상적인 세포는 언제 성장하고 언제 성장을 멈추어야 하는지를 알고 있다. ❾ 시간이 지나면 그것들은 또한 죽는다. (C) ❿ 이러한 정상적인 세포와 달리 암세포는 계속해서 자라고 죽어야 할 때 죽지 않는다. ⓫ 세포가 잘못되면 그것들은 건강한 신체 조직을 파괴하기 시작할 수 있다.

정답인 이유

1 내용 일치

정답 ④

해설 성장을 계속하는 것은 정상 세포가 아니라 암세포이므로 ④는 내용과 일치하지 않는다.

2 순서 파악

정답 ②

해설 암은 오래 전부터 있었던 질병이다. → (B) 암은 흔한 질병이며, 세포가 제어할 수 없이 자랄 때 발생한다. → (A) 정상적인 세포는 성장 시기와 성장을 멈춰야 하는 시기를 안다. → (C) 하지만 암세포는 정상 세포와 달리 계속 자라고 죽어야 할 때 죽지 않는다.

해석 이 글의 순서로 가장 적절한 것은?

3 서술형

정답 (1) suffer (2) disease (3) growing (4) affects

해석 암은 흔한 질병이다. 많은 사람들이 암으로 고통 받고 있다. 우리의 몸은 수백 개의 세포로 만들어져 있다. 암은 나쁜 세포가 성장을 멈추지 않고 죽지 않는 세포의 질병이다. 그것은 신체의 다른 모든 조직에 영향을 미친다.

제대로 독해법

어휘 Level Up

1ⓓ 2ⓘ 3ⓙ 4ⓘ 5ⓜ 6ⓔ 7ⓚ 8ⓕ 9ⓐ
10ⓒ 11ⓞ 12ⓖ 13ⓑ 14ⓗ 15ⓝ

내신 Level Up

정답 ⑤

해설 scary(무서운)와 의미가 가장 가까운 것은 frightening(무서운)이다.

해석 ① 흔한 ② 즐거운 ③ 활기찬 ④ 놀라운 ⑤ 무서운

구문 Level Up

정답 what to eat

해설 「what+to부정사」는 '무엇을 ~할지'의 뜻을 나타내므로 '무엇을 먹을지'는 what to eat로 쓸 수 있다.

Day 07 Reading 02

▸ pp.48~49

아침 운동 vs. 저녁 운동

지문 분석

❶ Many people want to know whether they should exercise in
want+to부정사(목적어) _접 ~인지 (아닌지)_
the morning or in the evening. ❷ There is no definite answer.

(C) ❸ Exercising in the morning makes you more energetic
동명사(주어) _동사_
all day long. ❹ Moreover, you can reduce stress and your
_하루 종일_ _또한, 게다가_
body will burn more calories during the day. ❺ You will

experience a quiet and peaceful morning atmosphere too.
_역시, 또한_

(B) ❻ But avoid excessive exercise in the morning because your
명령문(동사원형으로 시작) _접 ~이니까_
body is not ready enough. ❼ On the other hand, if you
반면에 _접 ~라면_
exercise in the evening, you need not rush to work or study
to부정사(~하기 위해)
right after it. ❽ You will sleep better after evening exercise.
well의 비교급(well-better-best)

(A) ❾ But if you exercise right before going to bed, it will make
_접 ~라면_ _직전에_
it hard for you to fall asleep. ❿ Actually, the best time to
가목적어 _의미상 주어_ _진목적어(to부정사구)_
exercise is not the same for everyone. ⓫ It depends on ㉠당
to부정사(the best time 수식) _~에 달려 있다_
신이 운동으로부터 얻고 싶은 것. ⓬ The most important thing is
important의 최상급
no matter when you exercise, just do it regularly.
언제 ~하더라도(= whenever)

지문 해석

❶ 많은 사람들이 운동을 아침에 해야 하는지 저녁에 해야 하는지 알고 싶어 한다. ❷ (그것에 대한) 명확한 답은 없다. (C) ❸ 아침에 운동하는 것은 당신을 하루 종일 더욱 활기차게 만들어 준다. ❹ 또한, 당신은 스트레스를 줄일 수 있으며, 당신의 몸은 낮 동안 더 많은 칼로리를 태울 것이다. ❺ 당신은 조용하고 평화로운 아침 분위기도 경험할 것이다. (B) ❻ 그러나 당신의 몸이 충분히 준비되어 있지 않으니까 아침에 지나친 운동은 피해라. ❼ 반면에 저녁에 운동을 하면 운동 후에 바로 일이나 공부를 하기 위해 서두를 필요가 없다. ❽ 저녁 운동 후에는 잠을 더 잘 잘 것이다. (A) ❾ 하지만 잠자리에 들기 직전에 운동을 한다면 그것은 당신이 잠드는 것을 어렵게 만들 것이다. ❿ 사실 운동하기에 가장 좋은 시간은 모든 사람에게 같지 않다. ⓫ 그것은 당신이 운동으로부터 얻고 싶은 것에 달려 있다. ⓬ 가장 중요한 것은 언제 운동을 하더라도 그저 규칙적으로 하는 것이다.

정답인 이유

1 내용 일치
정답 ②
해설 (C)에서 아침에 운동을 하면 낮 동안 더 많은 칼로리를 태울 것이라고 했으므로 ②는 내용과 일치하지 않는다.

2 순서 파악
정답 ⑤
해설 많은 사람들이 운동을 아침에 해야 하는지 저녁에 해야 하는지 알고 싶어한다는 주어진 글 다음에 아침 운동의 장점을 설명하는 (C)가 오고, '그러나 매우 심한 (아침) 운동은 피하라'고 당부하는 (B)가 오고, (B)의 마지막 부분의 저녁 운동의 장점에 대한 설명 다음에 마지막으로 '그러나 잠자리에 들기 전의 저녁 운동은 좋지 않다'라고 저녁 운동에 대한 (A)의 설명이 오는 것이 가장 자연스럽다.
해석 이 글의 순서로 가장 적절한 것은?

3 서술형
정답 what you want to get from exercise
해설 '~하는 것'의 뜻을 가진 관계대명사 what이 이끄는 명사절로 표현할 수 있다.

제대로 독해법

어휘 Level Up
1ⓖ 2ⓔ 3ⓜ 4ⓒ 5ⓐ 6ⓝ 7ⓕ 8ⓘ 9ⓛ
10ⓓ 11ⓗ 12ⓚ 13ⓙ 14ⓑ

내신 Level Up
정답 reduce
해설 '어떤 것의 크기, 양 또는 가격을 더 작거나 적게 만들다'라는 뜻을 갖는 단어는 reduce(줄이다)이다.

구문 Level Up
정답 Whenever
해설 No matter when은 복합관계부사 Whenever로 바꿔 쓸 수 있다.

Goodnight Teenagers

지문 분석

❶ Many studies have shown [that teenagers need at least
현재완료시제(have/has+p.p.) └명사절(shown의 목적어)┘ 적어도
nine hours of sleep]. ❷ In reality, however, only 25 percent
그러나
of students say [that they are getting enough sleep]. ❸ Why?
└명사절(say의 목적어)┘
❹ Many teens spend much time playing computer games and
┌ 병렬구조   spend+시간+-ing: ~하는 데 (시간)을 보내다
surfing the Internet. ❺ The problem is [that the blue light from
└명사절(주격보어)
computer monitors may do (A) harm / benefit to the body's
biological clock]. ❻ According to scientists, a person's biological
~에 따르면
clock responds to the color of the sky, which is blue. ❼ When
~에 반응한다   관계대명사의 계속적 용법(= and it)
people see the sky, their biological clock thinks [it is time to
(명사절을 이끄는 접속사 that 생략)
start the day]. ❽ A blue computer screen can make someone's
It is time to부정사: ~할 시간이다
biological clock think it is morning. ❾ So teens [who spend
make+목적어+동사원형(think): (목적어)가 ~하게 하다   선행사┘ └관계대명사절(주격)
many hours in front of the computer] may ㉠일찍 잠자리에 드는
~ 앞에서
데 어려움을 겪다. ❿ No matter how interesting it is to do on a
아무리 ~하더라도(= however)   가주어 진주어(to부정사구)
computer, teenagers' sleep hours shouldn't be bothered by it.
조동사가 있는 수동태(조동사+be+p.p.)

지문 해석

❶ 많은 연구들은 십 대들에게 적어도 9시간의 수면이 필요하다는 것을 보여준다. ❷ 그러나 실제로는 25퍼센트의 학생들만이 자신이 충분한 수면을 취하고 있다고 말한다. ❸ 왜일까? ❹ 많은 십 대들이 컴퓨터 게임을 하고 인터넷 검색을 하는 데 많은 시간을 보낸다. ❺ 문제는 컴퓨터 모니터로부터 나오는 푸른색 빛이 신체의 생물학적 시계에 해를 끼칠지도 모른다는 것이다. ❻ 과학자들에 따르면 사람의 생물학적 시계는 하늘의 색깔에 반응하는데, 그것은 푸른색이다. ❼ 사람들이 하늘을 볼 때 그들의 생물학적 시계는 하루를 시작할 때라고 생각한다. ❽ 푸른색 컴퓨터 화면은 생물학적 시계가 아침이라고 생각하게 만들 수 있다. ❾ 그래서 컴퓨터 앞에서 많은 시간을 보내는 십 대들은 일찍 잠자리에 드는 데 어려움을 겪을지도 모른다. ❿ 컴퓨터를 하는 것이 아무리 재미있더라도 십 대들의 수면 시간이 그것에 의해 방해받아서는 안 된다.

정답인 이유

1 주제 추론

정답 ④

해설 이 글은 컴퓨터 모니터의 푸른색 빛 때문에 청소년들이 일찍 잠자리에 들기 어렵다는 내용이므로 ④가 주제로 가장 적절하다.

2 빈칸 추론

정답 ⑤

해설 ❼의 time to start the day(하루를 시작하는 시간)라는 표현에 대응하는 말인 ⑤ morning(아침)이 가장 적절하다.

해석 빈칸에 들어갈 말로 가장 적절한 것은?
① 어둠 ② 따뜻한 ③ 일요일 ④ 여름 ⑤ 아침

3 서술형

정답 have difficulty in going to sleep early

해설 '~하는 데 어려움을 겪다'의 뜻을 가진 「have difficulty in+-ing」 표현을 사용하여 나타낼 수 있다.

제대로 독해법

어휘 Level Up

1 ① 2 ⓑ 3 ⓗ 4 ⓙ 5 ⓚ 6 ⓕ 7 ⓒ 8 ⓓ 9 ⓐ
10 ① 11 ⓖ 12 ⓔ

내신 Level Up

정답 harm

해설 글의 내용상 푸른색 빛이 생물학적 시계에 해를 끼친다(harm)는 표현이 적절하다.

구문 Level Up

정답 to say → saying

해설 「cannot help -ing」는 '~할 수밖에 없다'의 뜻을 가진 관용 표현이므로 to say를 saying으로 고쳐 써야 한다.

눈 건강 프로젝트

지문 분석

❶ Nowadays many people spend hours a day looking at
<u>spend + 시간 + -ing: ~하는 데 (시간)을 보내다</u>
computer screens and other digital devices.

❷ (C) Some eye care professionals say [this leads to an increase
<u>(say의 목적어절을 이끄는 접속사 that 생략)</u> <u>~을 초래하다</u>
in eye problems]. ❸ It's because people blink less often

when they look at digital devices. ❹ The average person
<u>접 ~할 때</u>
using a computer or an electronic device blinks about
<u>현재분사구</u> <u>= blink</u>
a third as much as they do in everyday life. ❺ That can
<u>1/3(분수) + as 원급 as: 1/3로 ~한 정도</u>
result in dry eye syndrome.
<u>안구 건조증</u>

❻ (B) Eye doctors suggest following the 20/20/20 rule. ❼ "Every
<u>suggest + 동명사(목적어)</u> <u>20분마다</u>
twenty minutes, look away at a point twenty feet away or
<u>눈길을 돌리다</u> <u>약 610 cm</u>
more for at least twenty seconds."
<u>또는 그 이상</u> <u>적어도</u>

❽ (A) Other suggestions include putting more distance
between you and the device. ❾ Of course, another way
<u>between A and B: A와 B 사이에</u>
to avoid eye strain is to spend less time looking at screens
<u>to부정사(another way 수식) to부정사(보어) = spending</u>
all together.

지문 해석

❶ 요즘에는 많은 사람들이 하루에 몇 시간을 컴퓨터 화면과 다른 전자기기들을 보는 데 시간을 보낸다. ❷ (C) 몇몇 눈 관리 전문가들은 이것이 눈에 관한 문제의 증가를 초래한다고 말한다. ❸ 왜냐하면 사람들이 전자기기를 볼 때 눈을 덜 자주 깜박이기 때문이다. ❹ 컴퓨터나 전자 장비를 이용하는 평범한 사람은 일상생활의 3분의 1 정도 눈을 깜박인다. ❺ 그것은 안구 건조증을 유발할 수 있다. ❻ (B) 안과 의사들은 20/20/20 규칙을 따를 것을 제안한다. ❼ "20분마다 적어도 20초 동안 20피트(약 610 cm) 또는 그 이상 떨어진 어떤 지점으로 눈길을 돌려라." ❽ (A) 다른 제안은 당신과 장비 사이에 거리를 더 두는 것을 포함한다. ❾ 물론 눈의 피로를 피할 수 있는 또 다른 방법은 모든 화면들을 보는 시간을 줄이는 것이다.

정답인 이유

1 순서 파악

정답 ⑤

해설 요즘 많은 사람들이 하루에 몇 시간을 컴퓨터와 전자기기들을

보는데 시간을 보낸다. → (C) 컴퓨터 등 전자기기의 사용이 눈 건강에 문제를 일으킬 수 있다. → (B) 안과 의사들은 20/20/20 규칙을 제안한다. → (A) 눈 건강을 지키는 또 다른 방법은 전자기기와의 거리를 늘리는 것과 사용 시간을 줄이는 것이다.

2 제목 추론

정답 ④

해설 이 글에서 설명하고 있는 것은 컴퓨터 등 전자기기의 사용에 따른 눈의 문제와 이를 예방하는 방법이므로 ④ '전자기기와 관련된 눈 문제를 피하는 방법'이 제목으로 가장 적절하다.

해석 이 글의 제목으로 가장 적절한 것은?
① 전자기기를 잘 사용하는 방법
② 오늘날의 발전된 전자기기
③ 어린이들 사이에서 증가하고 있는 눈 문제
④ 전자기기와 관련된 눈 문제를 피하는 방법
⑤ 더 깜빡거릴수록 당신이 갖게 될 더 좋은 시력

3 서술형

정답
(1) 20/20/20 규칙을 따른다.
(2) 당신과 장비 사이에 거리를 더 둔다.
(3) 모든 화면들을 보는 시간을 줄인다.

해설 (A)와 (B)에서 눈의 피로를 피할 수 있는 방법을 제시하고 있다.

제대로 독해법

어휘 Level Up

1 ① 2 ⓔ 3 ⓞ 4 ① 5 ⓕ 6 ⓑ 7 ① 8 ⓗ 9 ⓚ
10 ⓓ 11 ⓜ 12 ⓒ 13 ⓐ 14 ⓖ 15 ⓝ

내신 Level Up

정답 20분마다 20초 동안 20피트 또는 그 이상 떨어진 어떤 지점으로 눈길을 돌린다

해설 (B)에서 안과 의사들이 제안하는 20/20/20 규칙에 대해 설명하고 있다.

구문 Level Up

정답 1. that Michael is innocent 2. that love doesn't change

해설
1. that절이 think의 목적어 역할을 한다.
2. that절이 believe의 목적어 역할을 한다.

어휘 테스트

▶ p.54

A 1 dinosaur 2 tissue 3 energetic 4 peaceful
5 Teenagers 6 surfing the Internet

B 1 ⓒ 2 ⓑ 3 ⓐ
해석 1 ~하기로 되어 있다 2 분위기 3 해, 피해
ⓐ 신체적이거나 다른 부상 또는 손상
ⓑ 한 장소나 상황의 특징이나 느낌, 분위기
ⓒ ~할 의무나 책임을 가지다

▶ pp.50~51

Goodnight Teenagers

지문 분석

❶ Many studies have shown [that teenagers need at least
현재완료시제(have/has+p.p.) ┗명사절(shown의 목적어)┛ 적어도
nine hours of sleep]. ❷ In reality, however, only 25 percent
                               그러나
of students say [that they are getting enough sleep]. ❸ Why?
              ┗명사절(say의 목적어)┛
❹ Many teens spend much time playing computer games and
┌ 병렬구조   spend+시간+-ing: ~하는 데 (시간)을 보내다
surfing the Internet. ❺ The problem is [that the blue light from
                                      ┗명사절(주격보어)
computer monitors may do (A) harm／benefit to the body's
biological clock]. ❻ According to scientists, a person's biological
                   ~에 따르면
clock responds to the color of the sky, which is blue. ❼ When
       ~에 반응한다   관계대명사의 계속적 용법(= and it)
people see the sky, their biological clock thinks [it is time to
                                             (명사절을 이끄는 접속사 that 생략)
start the day]. ❽ A blue computer screen can make someone's
It is time to부정사: ~할 시간이다
biological clock think it is morning. ❾ So teens [who spend
make+목적어+동사원형(think): (목적어)가 ~하게 하다   선행사↑ ┗관계대명사절(주격)
many hours in front of the computer] may ㉠일찍 잠자리에 드는
                          ~ 앞에서
데 어려움을 겪다. ❿ No matter how interesting it is to do on a
                 아무리 ~하더라도(= however)   가주어 진주어(to부정사구)
computer, teenagers' sleep hours shouldn't be bothered by it.
                                       조동사가 있는 수동태(조동사+be+p.p.)

지문 해석

❶ 많은 연구들은 십 대들에게 적어도 9시간의 수면이 필요하다는 것을 보여
준다. ❷ 그러나 실제로는 25퍼센트의 학생들만이 자신이 충분한 수면을 취
하고 있다고 말한다. ❸ 왜일까? ❹ 많은 십 대들이 컴퓨터 게임을 하고 인터
넷 검색을 하는 데 많은 시간을 보낸다. ❺ 문제는 컴퓨터 모니터로부터 나
오는 푸른색 빛이 신체의 생물학적 시계에 해를 끼칠지도 모른다는 것이다.
❻ 과학자들에 따르면 사람의 생물학적 시계는 하늘의 색깔에 반응하는데,
그것은 푸른색이다. ❼ 사람들이 하늘을 볼 때 그들의 생물학적 시계는 하루
를 시작할 때라고 생각한다. ❽ 푸른색 컴퓨터 화면은 생물학적 시계가 아침
이라고 생각하게 만들 수 있다. ❾ 그래서 컴퓨터 앞에서 많은 시간을 보내는
십 대들은 일찍 잠자리에 드는 데 어려움을 겪을지도 모른다. ❿ 컴퓨터를 하
는 것이 아무리 재미있더라도 십 대들의 수면 시간이 그것에 의해 방해받아
서는 안 된다.

1 주제 추론

정답 ④

해설 이 글은 컴퓨터 모니터의 푸른색 빛 때문에 청소년들이 일찍 잠
자리에 들기 어렵다는 내용이므로 ④가 주제로 가장 적절하다.

2 빈칸 추론

정답 ⑤

해설 ❼의 time to start the day(하루를 시작하는 시간)라는 표현에
대응하는 말인 ⑤ morning(아침)이 가장 적절하다.

해석 빈칸에 들어갈 말로 가장 적절한 것은?

① 어둠 ② 따뜻한 ③ 일요일 ④ 여름 ⑤ 아침

3 서술형

정답 have difficulty in going to sleep early

해설 '~하는 데 어려움을 겪다'의 뜻을 가진 「have difficulty
in+-ing」 표현을 사용하여 나타낼 수 있다.

제대로 독해법

어휘 Level Up

1 ① 2 ⓑ 3 ⓗ 4 ① 5 ⓚ 6 ⓕ 7 ⓒ 8 ⓓ 9 ⓐ
10 ① 11 ⓖ 12 ⓔ

내신 Level Up

정답 harm

해설 글의 내용상 푸른색 빛이 생물학적 시계에 해를 끼친다(harm)는 표
현이 적절하다.

구문 Level Up

정답 to say → saying

해설 「cannot help -ing」는 '~할 수밖에 없다'의 뜻을 가진 관용 표현이므
로 to say를 saying으로 고쳐 써야 한다.

눈 건강 프로젝트

지문 분석

❶ Nowadays many people spend hours a day looking at
　　　　　　　　　　　spend+시간+-ing: ~하는 데 (시간)을 보내다
computer screens and other digital devices.

❷ (C) Some eye care professionals say [this leads to an increase
　　　　　　　　(say의 목적어절을 이끄는 접속사 that 생략)　~을 초래하다
in eye problems]. ❸ It's because people blink less often

when they look at digital devices. ❹ The average person
접 ~할 때
using a computer or an electronic device blinks about
└ 현재분사구　　　　　　　　　= blink
a third as much as they do in everyday life. ❺ That can
1/3(분수)+as 원급 as: 1/3로 ~한 정도
result in dry eye syndrome.
　　　　　안구 건조증

❻ (B) Eye doctors suggest following the 20/20/20 rule. ❼ "Every
　　　　　　　suggest+동명사(목적어)　　　　　　　　　　20분마다
twenty minutes, look away at a point twenty feet away or
　　　　　　　　눈길을 돌리다　　　　　　약 610 cm
more for at least twenty seconds."
또는 그 이상　적어도

❽ (A) Other suggestions include putting more distance

between you and the device. ❾ Of course, another way
between A and B: A와 B 사이에
to avoid eye strain is to spend less time looking at screens
└ to부정사(another way 수식)　to부정사(보어) = spending
all together.

지문 해석

❶ 요즘에는 많은 사람들이 하루에 몇 시간을 컴퓨터 화면과 다른 전자기기들을 보는 데 시간을 보낸다. ❷ (C) 몇몇 눈 관리 전문가들은 이것이 눈에 관한 문제의 증가를 초래한다고 말한다. ❸ 왜냐하면 사람들이 전자기기를 볼 때 눈을 덜 자주 깜박이기 때문이다. ❹ 컴퓨터나 전자 장비를 이용하는 평범한 사람은 일상생활의 3분의 1 정도 눈을 깜박인다. ❺ 그것은 안구 건조증을 유발할 수 있다. ❻ (B) 안과 의사들은 20/20/20 규칙을 따를 것을 제안한다. ❼ "20분마다 적어도 20초 동안 20피트(약 610 cm) 또는 그 이상 떨어진 어떤 지점으로 눈길을 돌려라." ❽ (A) 다른 제안은 당신과 장비 사이에 거리를 더 두는 것을 포함한다. ❾ 물론 눈의 피로를 피할 수 있는 또 다른 방법은 모든 화면들을 보는 시간을 줄이는 것이다.

정답인 이유

1 순서 파악

정답　⑤

해설　요즘 많은 사람들이 하루에 몇 시간을 컴퓨터와 전자기기들을

보는데 시간을 보낸다. → (C) 컴퓨터 등 전자기기의 사용이 눈 건강에 문제를 일으킬 수 있다. → (B) 안과 의사들은 20/20/20 규칙을 제안한다. → (A) 눈 건강을 지키는 또 다른 방법은 전자기기와의 거리를 늘리는 것과 사용 시간을 줄이는 것이다.

2 제목 추론

정답　④

해설　이 글에서 설명하고 있는 것은 컴퓨터 등 전자기기의 사용에 따른 눈의 문제와 이를 예방하는 방법이므로 ④ '전자기기와 관련된 눈 문제를 피하는 방법'이 제목으로 가장 적절하다.

해석　이 글의 제목으로 가장 적절한 것은?
① 전자기기를 잘 사용하는 방법
② 오늘날의 발전된 전자기기
③ 어린이들 사이에서 증가하고 있는 눈 문제
④ 전자기기와 관련된 눈 문제를 피하는 방법
⑤ 더 깜빡거릴수록 당신이 갖게 될 더 좋은 시력

3 서술형

정답
(1) 20/20/20 규칙을 따른다.
(2) 당신과 장비 사이에 거리를 더 둔다.
(3) 모든 화면들을 보는 시간을 줄인다.
해설　(A)와 (B)에서 눈의 피로를 피할 수 있는 방법을 제시하고 있다.

제대로 독해법

어휘 Level Up

1 ①　2 ⓔ　3 ⓞ　4 ① ⓘ　5 ⓕ　6 ⓑ　7 ⓙ　8 ⓗ　9 ⓚ
10 ⓓ　11 ⓜ　12 ⓒ　13 ⓐ　14 ⓖ　15 ⓝ

내신 Level Up

정답　20분마다 20초 동안 20피트 또는 그 이상 떨어진 어떤 지점으로 눈길을 돌린다

해설　(B)에서 안과 의사들이 제안하는 20/20/20 규칙에 대해 설명하고 있다.

구문 Level Up

정답　1. that Michael is innocent　2. that love doesn't change
해설
1. that절이 think의 목적어 역할을 한다.
2. that절이 believe의 목적어 역할을 한다.

어휘 테스트
▶ p.54

Ⓐ 1 dinosaur　2 tissue　3 energetic　4 peaceful
5 Teenagers　6 surfing the Internet

Ⓑ 1 ⓒ　2 ⓑ　3 ⓐ
해석　1 ~하기로 되어 있다　2 분위기　3 해, 피해
ⓐ 신체적이거나 다른 부상 또는 손상
ⓑ 한 장소나 상황의 특징이나 느낌, 분위기
ⓒ ~할 의무나 책임을 가지다

Chapter 5 Information

Day 09 Reading 01

▶ pp.58~59

모기는 왜 나만 물까?

지문 분석

Interviewer : ❶ Mosquitoes bite only me! ❷ Is it true {that
_{가주어} └ 진주어(that절)
there is a certain type of people [who get more bitten by
선행사 └ 관계대명사절(주격)
mosquitoes]}?

Doctor : ❸ Yes. Mosquitoes are very good at smelling, so they
be good at -ing: ~하는 것을 잘하다
like people [who produce a lot of secretions in their bodies].
선행사 관계대명사절(주격)

Interviewer : ❹ Well, sweating is secretions from physical

activity, right?

Doctor : ❺ Yes. Someone [who sweats a lot] and also
선행사 관계대명사절(주격)
someone [who doesn't wash] can be a target of mosquitoes.
선행사 관계대명사절(주격)

Interviewer : ❻ I heard [that the younger you are, the more you
└ 명사절(heard의 목적어)
get bitten]. ❼ Why is that?
The 비교급(+주어+동사), the 비교급(+주어+동사): ~할수록 점점 더 …하다

Doctor : ❽ The younger you are, the more active you are.
The 비교급(+주어+동사), the 비교급(+주어+동사): ~할수록 점점 더 …하다
❾ So your body produces more sweat and smells more.
주어 동사1 동사2
❿ Mosquitoes like that.

Interviewer : ⓫ If so, let's say an old man and a child sleep
~라고 가정해 보자, 예를 들면
together. ⓬ An old man will not be bitten, right?

Doctor : ⓭ That's right.

Interviewer : ⓮ I see, thank you for the detailed explanation.

지문 해석

진행자 : ❶ 모기들은 저만 물어요! ❷ 모기에 더 많이 물리는 특정한 유형의
사람들이 있다는 게 사실인가요?
의사 : ❸ 네. 모기들은 냄새를 잘 맡아서 몸에서 많은 분비물을 만들어 내
는 사람들을 좋아합니다.
진행자 : ❹ 그렇다면, 땀은 신체 활동에서 나오는 분비물이 맞나요?
의사 : ❺ 네. 땀을 많이 흘리는 사람과 또 씻지 않는 사람이 모기의 표적이
될 수 있습니다.
진행자 : ❻ 어릴수록 더 많이 물린다고 들었습니다. ❼ 왜 그런 걸까요?
의사 : ❽ 어릴수록 더 활동적입니다. ❾ 그래서 당신의 몸은 더 많은 땀을
만들어 내고 더 많은 냄새가 납니다. ❿ 모기는 그런 것을 좋아해요.

진행자 : ⓫ 그렇다면, 나이 든 사람과 아이가 함께 잔다고 가정해 보죠. ⓬ 나
이 든 사람은 (모기한테) 안 물리겠네요?
의사 : ⓭ 맞아요.
진행자 : ⓮ 알겠습니다, 자세히 설명해 주셔서 고맙습니다.

정답인 이유

1 제목 추론

정답 ①

해설 모기가 좋아하는 유형의 사람을 설명하는 인터뷰이므로 ① '모
기는 누구를 좋아하는가?'가 제목으로 가장 적절하다.

해석
① 모기는 누구를 좋아하는가? ② 벌레를 연구해야 할 필요성
③ 모기를 통제하는 방법 ④ 모기가 많은 철(시즌)이 되었다
⑤ 잘 씻고 모기와 싸워라(모기한테 물리지 마라)

2 빈칸 추론

정답 ②

해설 빈칸 앞에 '나이 든 사람과 아이가 함께 잔다고 가정해 보자'라
는 말이 나오므로 ② '나이 든 사람은 안 물리겠네요?'가 적절하다.

해석 빈칸에 들어갈 말로 가장 적절한 것은?
① 나이 든 사람은 존경받겠네요?
② 나이 든 사람은 안 물리겠네요?
③ 나이 든 사람은 빨리 치료받겠네요?
④ 나이 든 사람은 모기를 잡아야 겠네요?
⑤ 나이 든 사람은 잠드는 데 어려움이 있겠네요?

3 서술형

정답 (1) 땀을 많이 흘리는 사람 (2) 잘 씻지 않는 사람
(3) 젊은(어린) 사람
해설 모기들은 냄새를 잘 맡아서 몸에서 많은 분비물을 만들어 내는
사람을 좋아하므로 땀을 많이 흘려 냄새가 나고, 씻지 않아 냄새가 나
고, 활동적이어서 땀이 많이 나는 젊은(어린) 사람이 모기에게 더 잘 물
린다고 했다.

제대로 독해법

어휘 Level Up

1 ⑨ 2 ⓗ 3 ⓒ 4 ⓓ 5 ⓘ 6 ⓚ 7 ⓑ 8 ⓙ 9 ⓛ
10 ⓐ 11 ⓔ 12 ⓕ

내신 Level Up

정답 어릴수록 활동적이고 그래서 땀을 많이 흘려 더 많은 냄새가 나기 때
문에
해설 모기들은 냄새를 잘 맡아서 몸에서 많은 분비물을 만들어 내는 사람들
을 좋아하는데 어릴수록 활동적이라 땀을 많이 흘려 모기에 더 많이 물린다.

구문 Level Up

정답 1. is true that he was dead 2. is not certain that he lied
해설 1, 2. that절이 주어로 쓰이면 가주어 It을 주어 자리에 두고 that절
은 문장 끝에 둔다.

나의 게임 중독 지수는?

지문 분석

❶ It is hard for video game addicts to admit [that they are
가주어 / 의미상 주어 / 진주어(to부정사구) / 명사절(admit의 목적어)
addicted]. ❷ Here are some questions to help you find out
Here are + 복수명사: ~들이 있다
whether you are addicted to video games or not.
접 ~인지 아닌지

Never	Rarely	Sometimes	Often	Always
1 point	2 points	3 points	4 points	5 points

❸ 1. I ⊙normally play video games longer than I plan to.
비교급 + than / -ing(동명사)의 의미상 주어

❹ 2. I have had arguments because of my playing video games.
현재완료시제(have/has+p.p.) / because of + 명사구

❺ 3. My school grades have been affected by video games.
현재완료수동태(have/has+been+p.p.)

❻ 4. I play video games though I have other things to do.
접 ~인데도, ~이지만 / to부정사

❼ 5. I have lied about how long I play video games. (other things 수식)
현재완료시제 / 의문사절(의문사+주어+동사)

❽ 6. I become so sad when I can't play video games.
접 ~할 때

❾ 7. I become angry (A) 누군가가 내가 비디오 게임하는 것을 막으면.

❿ 8. I often stay up all night playing video games.
밤을 지새우다 / 현재분사(~하면서)

⓫ 9. I have tried to quit playing video games many times but
try + to부정사: ~하려고 노력하다 / 여러 번
failed.

⓬ 10. I like playing video games more than meeting people.
= to play / = to meet

⓭ 0 ~ 15 points	You just enjoy playing video games. You're not addicted. enjoy+동명사(목적어)
⓮ 16 ~ 30 points	Video games sometimes have a negative effect on your daily life. Be careful. have an effect on: ~에 영향을 미치다(= affect)
⓯ 31 ~ 50 points	You are addicted. You must do something about it.

지문 해석

❶ 비디오 게임 중독자들이 자신들이 중독되었다는 것을 인정하는 것은 힘들다. ❷ 여기에 당신이 비디오 게임에 중독되었는지 아닌지를 알아보도록 도와줄 몇 가지 질문들이 있다.
전혀: 1점 / 드물게: 2점 / 가끔: 3점 / 종종: 4점 / 항상: 5점
❸ 1. 나는 보통 내가 계획하는 것보다 더 오래 비디오 게임을 한다.
❹ 2. 나는 내가 비디오 게임을 하는 것 때문에 말다툼을 해 본 적이 있다.
❺ 3. 내 학교 성적이 비디오 게임에 영향을 받은 적이 있다.
❻ 4. 나는 다른 해야 할 일이 있는데도 비디오 게임을 한다.
❼ 5. 나는 얼마나 오래 비디오 게임을 하는지에 대해 거짓말을 한 적이 있다.
❽ 6. 나는 비디오 게임을 할 수 없을 때 매우 슬퍼진다.

❾ 7. 나는 누군가가 내가 비디오 게임하는 것을 막으면 화가 난다.
❿ 8. 나는 종종 비디오 게임을 하면서 밤을 지새운다.
⓫ 9. 나는 여러 번 비디오 게임을 끊으려고 노력했으나 실패했다.
⓬ 10. 나는 사람들을 만나는 것보다 비디오 게임을 하는 것이 더 좋다.
⓭ 0~15점: 당신은 비디오 게임을 즐길 뿐이다. 당신은 중독되지 않았다.
⓮ 16~30점: 비디오 게임이 가끔 당신의 일상생활에 부정적인 영향을 미친다. 조심해라.
⓯ 31~50점: 당신은 중독되었다. 당신은 그것에 대해 무언가 조치를 취해야 한다.

정답인 이유

1 목적 추론
정답 ⑤
해설 비디오 게임 중독에 대한 10개의 문항을 제시하여 자신이 해당되는지 아닌지 체크해보게 하고 나중에 점수를 합산해서 결과를 알 수 있게 하고 있으므로 ⑤가 목적으로 가장 적절하다.

2 내용 일치
정답 ③
해설 표에서 0~15점은 비디오 게임을 즐길 뿐 중독되지 않았다고 했고 16점 이상부터 조심하라고 했으므로 ③이 글의 내용과 일치하지 않는다.
해석 이 글의 내용과 일치하지 않는 것은?
① 비디오 게임 중독자들은 자신들의 중독을 좀처럼 인정하지 않는다.
② 당신은 당신의 중독을 판단하기 위해 점수를 합해야 한다.
③ 만약 당신이 15점을 받는다면, 당신은 조심해야 한다.
④ 40점이라면, 당신은 비디오 게임에 중독된 것이다.
⑤ 20점은 당신이 가끔 비디오 게임에 영향을 받는다는 것을 의미한다.

3 서술형
정답 if someone stops me from playing video games
해설 조건의 접속사 if(~라면)와 「stop A from -ing(A가 ~하는 것을 막다)」를 사용하여 나타낸다.

제대로 독해법

어휘 Level Up
1 ⓐ 2 ⓒ 3 ⓑ 4 ⓚ 5 ⓘ 6 ⓕ 7 ⓓ 8 ⓝ 9 ⓜ
10 ⓔ 11 ⓙ 12 ⓘ 13 ⓗ 14 ⓖ

내신 Level Up
정답 ⑤
해설 normally는 '보통'의 의미로 usually와 같은 의미를 나타낸다.
해석 ① 전혀 ~않는 ② 항상 ③ 때때로 ④ 거의 ~않는 ⑤ 보통

구문 Level Up
정답 It is not good to sing
해설 가주어 it을 쓰고 진주어 to부정사구를 뒤로 보낸다.

Day 10 Reading 01

▶ pp.62~63

왜 개는 주인이고 고양이는 집사라고 하지?

지문 분석

❶ Both dogs and cats are lovely pets. ❷ But there are distinctive
both A and B: A와 B 둘 다(복수 취급)

differences between them. ❸ In the case of dogs, they regard

their owner as if he or she were the leader of their group.
as if 가정법 과거(as if+주어+동사의 과거형): 마치 ~인 것처럼

❹ (ⓐ) That is why they usually feel anxious when their
바로 그것이 ~한 이유이다   접 ~할 때

owner is not with them. ❺ (ⓑ) Cats normally live alone,

which means the owners are just neighbors and of little
관계대명사의 계속적 용법(선행사 → 앞 문장 전체)

importance. ❻ (ⓒ) Dogs normally want to learn what to
중요하지 않은(= little important)   = what they should do

do and what to avoid doing from the highest member in their
= what they should avoid

group, so the highest member — if a dog is a pet, it is you — can

train and teach them. ❼ (ⓓ But as for cats, you can't teach
          = dogs

them since they never think of you as being superior to them.)

❽ Dogs want to please owners; cats are only interested in
                                    전치사+동명사

pleasing themselves. ❾ (ⓔ) This is why you often hear,
재귀대명사 - 재귀 용법(생략 불가능)

"Dogs treat you as if you were a god, cats treat you as if they
          as if 가정법 과거   as if 가정법 과거

were a god."

지문 해석

❶ 개와 고양이는 둘 다 사랑스러운 애완동물들이다. ❷ 하지만 그것들 사이
에는 독특한 차이점이 있다. ❸ 개의 경우, 그들은 주인을 그들 그룹의 리더인
것처럼 여긴다. ❹ 그것이 바로 주인이 없을 때 그들이 보통 불안해하는 이유
이다. ❺ 고양이들은 보통 혼자서 사는데, 이는 주인이 그저 이웃일 뿐이고 거
의 중요하지 않다는 것을 의미한다. ❻ 개들은 보통 무엇을 해야 하고 무엇을
하지 말아야 하는지를 그들 무리의 가장 높은 구성원에게서 배우기를 원하므
로 가장 높은 위치의 구성원 — 만약 개가 애완동물이라면 그것은 바로 당
신이다 — 개들을 훈련시키고 가르칠 수 있다. ❼ 그러나 고양이의 경우, 당신
은 그들을 가르칠 수 없는데 그들은 당신을 결코 그들보다 우월하다고 여기
지 않기 때문이다. ❽ 개는 주인을 즐겁게 하기 원하는 데 반해, 고양이는 오
로지 자기 자신을 즐겁게 하는 데만 관심이 있다. ❾ 이점이 바로 여러분이 종
종 '개는 당신을 신처럼 대하고 고양이는 스스로를 신처럼 대한다.'는 말을 듣
는 이유이다.

정답인 이유 ✏️

1 문장 삽입

정답 ④

해설 개와 고양이의 차이점에 관한 글이다. ⓓ 바로 앞 문장의 '개를
훈련시키고 가르칠 수 있다'는 내용 뒤에 '고양이의 경우에는 가르칠 수
없다'는 내용이 이어지는 것이 문맥상 자연스러우므로 주어진 문장은
ⓓ에 들어가는 것이 적절하다.

해설 그러나 고양이의 경우, 당신은 그들을 가르칠 수 없는데 그들은
당신을 결코 그들보다 우월하다고 여기지 않기 때문이다.

2 빈칸 추론

정답 ⑤

해설 개와 고양이가 주인을 대하는 태도의 차이점을 설명하는 글이
므로 빈칸에는 ⑤ '독특한 차이점'이 들어가는 것이 가장 적절하다.

해설 빈칸에 들어갈 말로 가장 적절한 것은?
① 잘못된 정보   ② 부정확한 분석   ③ 분명한 유사점
④ 편향된 설명   ⑤ 독특한 차이점

3 서술형

정답 개는 주인을 즐겁게 하기 원하는 데 반해, 고양이는 오로지 자
기 자신을 즐겁게 하는 데만 관심이 있기 때문에

해설 마지막 두 문장에서 개와 고양이가 주인을 다르게 대하는 이유
를 비교하여 설명하고 있다.

제대로 독해법

어휘 Level Up

1 ⓗ   2 ⓙ   3 ⓖ   4 ⓑ   5 ⓔ   6 ⓐ   7 ⓓ   8 ⓕ   9 ⓒ
10 ⓚ   11 ⓘ   12 ⓛ

내신 Level Up

정답 (1) 리더   (2) 이웃

해설 ❸, ❺에서 개는 주인을 그들 그룹의 리더(the leader of their
group)로 여기고, 고양이는 주인을 그저 이웃(just neighbors)으로 여긴다
고 말하고 있다.

구문 Level Up

정답 as if they liked

해설 '마치 공포 영화를 좋아하는 것처럼'은 「as if+가정법 과거」로 표현할
수 있다. 「as if+주어+동사의 과거형」 형태이므로 as if they liked로 쓴다.

비행기 안에서 난동을 부리면 안 돼!

지문 분석

❶ People in airlines say [that air rage is a growing problem].
└ 명사절(say의 목적어)

❷ Air rage is when a passenger on a plane gets mad and starts
   주어   동사1   동사2
acting ⓐbadly. ❸ (A) This needs to be fixed for the safety of
= to act   to부정사 수동태(to be+p.p.)
everyone on the plane. ❹ (B) Sometimes ㉠angry passengers
                            빈도부사(때때로)
ⓑyell at the flight attendants. ❺ (C) Flight attendants are

the people [who can get to fly for free]. ❻ (D) Some flight
   선행사 ↑ 관계대명사절(주격)   무료로
attendants have even been grabbed and hit. ❼ (E) It can be
        현재완료 수동태(have/has+been+p.p.)   가주어
ⓒdangerous [to have a passenger [that is out of control on a
        └ 진주어(to부정사구)   ↑ 관계대명사절(주격)
plane]]. ❽ The ⓓsafety of the workers and passengers can be at
                          위험에 처한
risk. ❾ So how to better deal with angry passengers in a flight is
        how to부정사: ~하는 방법
very important. ❿ Therefore, punishment for acting badly on a

plane is getting ⓔlighter. ⓫ Air rage passengers will be fined a
                (×) → stricter(○)   동사1
lot of money and sometimes will be put in prison.
                              동사2

지문 해석

❶ 항공사 사람들은 기내 난동이 증가하는 문제라고 말한다. ❷ 기내 난동은 비행기에 있는 승객이 몹시 화가 나서 심하게 행동하기 시작하는 것이다. ❸ 이것은 비행기에 타고 있는 모든 사람의 안전을 위해 고쳐져야 한다. ❹ 때때로 화가 난 승객들은 승무원들에게 소리를 지른다. ❺ (승무원은 무료로 비행기를 탈 수 있는 사람들이다.) ❻ 일부 승무원들은 붙잡혀서 맞기도 한다. ❼ 비행기에 통제 불능의 승객이 있다는 것은 위험할 수 있다. ❽ 직원들과 승객들의 안전이 위험에 처할 수 있다. ❾ 그래서 비행기에서 화가 난 승객들을 더 잘 다루는 방법은 매우 중요하다. ❿ 그래서 비행기에서 심하게 행동하는 것에 대한 처벌이 더 가벼워(→ 엄격해)지고 있다. ⓫ 기내 난동 승객은 많은 벌금이 부과될 것이고 때때로 감옥에 갈 수도 있다.

정답인 이유

1 어휘 파악
정답 ⑤
해설 문맥상 기내 난동에 대한 처벌이 더 엄격해지고 있다는 의미가 되어야 하므로 lighter가 아니라 stricter와 같은 단어가 적절하다.

2 무관한 문장
정답 ③
해설 (C)는 항공기 승무원에 대한 내용으로 '기내 난동'이라는 글의 전체 흐름과 관련이 없다.
해석 (A)~(E) 중에서 이 글의 전체 흐름과 관계없는 문장은?

3 서술형
정답 (1) behavior (2) safety (3) punishment
해설 기내 난동은 화가 난 비행기 승객들의 안 좋은 행동이다. 그것은 승무원과 다른 승객들의 안전을 위협한다. 이것을 피하기 위해 처벌이 점점 더 엄격해지고 있다.

제대로 독해법

어휘 Level Up
1 ⓐ 2 ① 3 ① 4 ⓒ 5 ⓕ 6 ⓝ 7 ⓞ 8 ⓖ 9 ⓗ
10 ① 11 ⓚ 12 ⓑ 13 ⓓ 14 ⓜ 15 ⓔ

내신 Level Up
정답 ④
해설 기내 난동을 벌이는 사람들을 묘사하는 말로 가장 적절한 것은 ④ '공격적이고 폭력적인'이다.
해석
① 게으르고 이기적인
② 수줍고 감정적인
③ 똑똑하고 창의적인
④ 공격적이고 폭력적인
⑤ 친절하고 활동적인

구문 Level Up
정답 has been used
해설 현재완료 수동태는 「have/has+been+p.p.」의 형태로 쓴다. 주어 This camera가 단수주어이므로 has를 쓴다.

어휘 테스트
▶ p.66

Ⓐ 1 sweat 2 target 3 yell 4 for free
5 pets 6 alone

Ⓑ 1 ⓑ 2 ⓐ 3 ⓒ
해석 1 물다 2 승객 3 중독자
ⓐ 운송 수단을 타고 이동하지만 그것을 운전하거나 비행하지는 않는 사람
ⓑ 무언가 또는 누군가를 베기 위해 치아를 사용하다
ⓒ 어떤 것, 특히 해로운 것을 하거나 사용하는 것을 멈출 수 없는 사람

Chapter 6 Opinion

네 생각은 어때?

지문 분석

❶ Would you change your appearance to get a job?
<u>to부정사(~하기 위해서)</u>

❷ Mike, 17

❸ Yes. ❹ I'd rather make money even if it means changing my
= would rather: ~하겠다   ~하더라도(양보)

appearance. ❺ People [who never change their appearances if
선행사   관계대명사절(주격)   ~라면(조건)

it is for the job] are just missing out on the opportunity to make
to부정사(the opportunity 수식)

money and that's ㉠their problem.

❻ Raquel, 15
= I would   (think의 목적어절을 이끄는 접속사 that 생략)

❼ Never. ❽ I'd just get a job somewhere else. ❾ I think [it's
가주어

stupid {that you would change your appearance to satisfy
진주어(that절)   to부정사(~하기 위해서)

people}]. ❿ You should be yourself no matter what people say.
= whatever

⓫ Crystal, 18
want+목적어+to부정사(목적격보어) : 5형식

⓬ It depends on how much they want me to change. ⓭ If they
~에 달려있다   의문사절(의문사+주어+동사)

are just asking for minimal things then I'm willing to do it, but if
be willing to: 기꺼이 ~하다

they're asking me to change my entire appearance then I don't
ask+목적어+to부정사(목적격보어): 5형식

think [the job would be worth having].
(think의 목적어절을   be worth+-ing: ~할 가치가 있다
이끄는 접속사 that 생략)

지문 해석

❶ 직업을 갖기 위해 외모를 바꾸시겠습니까?
❷ 마이크, 17세
❸ 네. ❹ 저는 그게 제 외모를 바꿔야 하는 것을 의미하더라도 돈을 벌겠어
요. ❺ 그것(외모를 바꿔야 하는 것)이 직업을 위한 것이라면 자신의 외모를
절대 바꾸지 않는 사람들은 돈을 벌 수 있는 기회를 놓치는 거고 그것이 그들
의 문제예요.
❻ 라켈, 15세
❼ 아니오. ❽ 저는 그냥 다른 곳에서 일을 하겠어요. ❾ 저는 당신이 사람들
을 만족시키기 위해 외모를 바꾸는 것은 어리석다고 생각해요. ❿ 사람들이
뭐라고 하든지 당신은 당신 자신이 되어야 해요.
⓫ 크리스털, 18세
⓬ 그것은 그들이 저에게 (제 외모를) 얼마나 바꾸기를 원하는지에 달려있어
요. ⓭ 만약 그들이 아주 적은 것들을 요구한다면 그러면 전 기꺼이 하겠지만

저의 외모 전체를 바꾸라고 한다면 그러면 그 직업은 가질 가치가 없다고 생각
해요.

정답인 이유

1 밑줄 추론

정답 ⑤

해설 바로 앞에 나온 '직업을 위해서 외모를 절대 바꾸지 않는 사람
들이 돈을 벌 수 있는 기회를 놓치고 있는 것(People who never ~ to
make money)'을 의미한다.

2 빈칸 추론

정답 ③

해설 '직업을 갖기 위해서 외모를 바꿀 것인가'라는 주제에 대해 세
사람이 각자의 의견을 말하고 있으므로 ③이 가장 적절하다.
해석 빈칸에 들어갈 말로 가장 적절한 것은?
① 체중을 생각하다 ② 좋은 대학에 가다 ③ 당신의 외모를 바꾸다
④ 외국어를 공부하다 ⑤ 당신의 능력과 기량을 증진시키다

3 서술형

정답 (1) change (2) be (3) degree

해설 직업에 관한 외모 이슈에 대해 마이크는 외모를 바꾸는 것이 필
요하다고 말했고, 반면에 라켈은 자기 자신이 되는 것(자신을 지키는
것)이 더 중요하다고 말했다. 크리스털은 요구의 정도에 달려있다고 대
답했다.

제대로 독해법

어휘 Level Up

1ⓓ 2ⓐ 3ⓕ 4ⓖ 5ⓗ 6ⓙ 7ⓑ 8ⓚ 9ⓘ
10ⓔ 11ⓒ 12ⓛ

내신 Level Up

정답 1. Crystal 2. Raquel 3. Mike
해설 마이크는 직업을 위해 외모를 바꾸겠다고 하였고, 라켈은 어리석은
일이라고 하였고, 크리스털은 요구 정도에 달려있다고 하였다.
해석
1. 상황에 따라 행동해라.
2. 겉모습만 보고 판단하지 마라.
3. 외모로 판단 받는다.

구문 Level Up

정답 Whatever[No matter what] she does
해설 '그녀가 무엇을 하더라도'는 복합관계대명사 whatever나 no matter
what을 사용하여 표현할 수 있다.

A White Lie

지문 분석

Jennifer

① I know [that ⓐtelling a lie is wrong]. **②** But sometimes I lie to
　　　　　명사절(know의 목적어)
　　　　　동명사구(주어) (= to tell a lie)
my son. **③** For example, my 11-year-old son plays basketball,
　　　　예를 들어　　　　= 11 years old cf. 11-years-old (×)
but he's not very good. **④** Yesterday he didn't play well. **⑤** After

the game, he said, "Did I play well?" **⑥** I said, "Yes, you're a good

player!" **⑦** Am I doing the right thing?
　　　　　현재진행 의문문(Be동사+주어+-ing ~?)
David

⑧ Yes, you are. **⑨** It's ㉠a white lie. **⑩** You just want to
　　　　　　　　　　　　　　　　　　　　　want+to부정사(목적어)
encourage him. **⑪** That's okay. **⑫** Your lie is not ⓑhurting

anyone.

Linda

　　　　to부정사(~하려고, ~하기 위해서)
⑬ You lied to make your son feel better. **⑭** But he must work
　　　　　make+목적어+동사원형: (목적어)가 ~하게 하다
hard to be a good basketball player. **⑮** Maybe next time, you can
　　to부정사(~하기 위해서)
say, "No. Great basketball players practice a lot. Keep practicing."
　　　　　　　　　　　　　　　　　　　　　keep+-ing: 계속해서 ~하다
⑯ The truth will help him ⓒbecoming a better basketball player.
　　　　　　　help+목적어+(to) 동사원형: ~가 …하도록 돕다
James
　　　　　　　becoming(×) → (to) become(○)

⑰ You ⓓdon't have to tell a lie to your son. **⑱** He is ⓔold
　　　　　~할 필요가 없다(= need not)　　사실
enough to learn the truth. **⑲** In fact, we need to be honest to
형용사+enough to부정사: ~하기에 충분히 …한[하게]
teach honesty to our children.
to부정사(~하기 위해서)

지문 해석

제니퍼: **①** 저는 거짓말하는 것이 잘못된 거라는 걸 알아요. **②** 하지만 가끔
씩 저는 제 아들에게 거짓말을 해요. **③** 예를 들어, 제 11살짜리 아들은 농구
를 하는데, 그는 아주 잘하지 못해요. **④** 어제 그는 잘하지 못했어요. **⑤** 경기
가 끝난 후에 그는 "저 잘했어요?"라고 물었어요. **⑥** 저는 "응, 넌 훌륭한 선수
야!"라고 말했어요. **⑦** 제가 옳은 일을 하고 있는 걸까요?

데이비드: **⑧** 네, 잘하고 있어요. **⑨** 그건 선의의 거짓말이죠. **⑩** 당신은 그저
그를 격려하고 싶은 거예요. **⑪** 괜찮아요. **⑫** 당신의 거짓말이 아무도 다치게
하고 있지 않아요.

린다: **⑬** 아들의 기분을 좋게 하려고 거짓말을 했군요. **⑭** 하지만 그는 훌륭
한 농구 선수가 되기 위해 열심히 노력해야 해요. **⑮** 아마 다음번에는 이렇게
말할 수 있을 거예요. "아니야. 훌륭한 농구 선수들은 많이 연습한단다. 계속
연습해라." **⑯** 진실이 그가 더 나은 농구 선수가 되도록 도와줄 겁니다.

제임스: **⑰** 당신 아들에게 거짓말할 필요가 없어요. **⑱** 그는 진실을 알 만큼
충분히 나이를 먹었어요. **⑲** 사실, 우리는 아이들에게 정직을 가르치기 위해
솔직할 필요가 있어요.

정답인 이유

1 어법성 판단

정답 ③

해설

ⓒ 「help+목적어+(to) 동사원형」의 형태로 becoming이 아니라
　　become 또는 to become이 와야 한다.
ⓐ telling은 주어 역할을 하는 동명사이다.
ⓑ 「be동사+-ing」 형태의 현재진행시제이다.
ⓓ don't have to는 '~할 필요가 없다(= need not)'의 의미를 가진다.
ⓔ 「형용사+enough to부정사」: ~하기에 충분히 …한

2 밑줄 추론

정답 ③

해설 a white lie는 '선의의 거짓말'을 의미한다.

해석 밑줄 친 ㉠a white lie가 의미하는 바로 가장 적절한 것은?
① 거짓된 진술 ② 의도된 거짓말 ③ 사소하고 해를 끼치지 않는 거짓말
④ 어떤 상황에 대한 실제 사실들 ⑤ 이미 일어난 안 좋은 일

3 서술형

정답 (1) encourage (2) honesty

해석 어떤 사람들은 누군가를 격려하기 위해 거짓말을 하는 것은 그것
이 아무도 다치게 하지 않기 때문에 괜찮다고 생각한다. 하지만 다른 사
람들은 정직이 향상에 더 중요하기 때문에 그 생각에 동의하지 않는다.

제대로 독해법

어휘 Level Up

1 ⓖ　2 ⓜ　3 ⓙ　4 ⓒ　5 ⓛ　6 ⓑ　7 ⓕ　8 ⓐ　9 ⓗ
10 ⓘ　11 ⓚ　12 ⓓ　13 ⓔ

내신 Level Up

정답 ④

해설 제니퍼는 실제로 농구를 잘하지 못하는 아들에게 잘한다고 거짓말하
는 것에 대해 고민하고 있으므로 ④가 정답이다.

해석 ① 농구하는 것　　　　　② 그녀의 아들을 벌주는 것
③ 그녀의 아들을 격려하는 것　　④ 그녀의 아들에게 거짓말을 하는 것
⑤ 그녀의 아들에게 농구하는 것을 가르치는 것

구문 Level Up

정답 so kind that he could drive

해설 「형용사(kind)+enough to부정사」는 「so+형용사(kind)+that+주
어+can[could]」로 바꿔 쓸 수 있다. 문장의 시제가 과거(was)이므로 could
를 써야 한다.

게임 중독에서 벗어나고 싶어요!

지문 분석

❶ Q : How Can I Stop My Online Game Addiction?

❷ Hello, I am embarrassed to say [that I am addicted to an
　　　감정을 나타내는 형용사　to부정사(감정의 원인: ~해서)
　　　　　　　　　　　　　　┌명사절(say의 목적어)
online game]. ❸ I have deleted the game several times, but I
　　　　　　　현재완료시제(have/has+p.p.)　　여러 번
also have reinstalled it later. ❹ My schoolwork and relationships
　현재완료시제(have/has+p.p.)
with people are getting worse. ❺ I feel guilty but what should I
　　　　　　　　get+비교급: 더 ~해지다
do?

❻ A : Best Answer

❼ So sorry to hear that! ❽ Online game addictions can result
　감정 형용사 to부정사(~해서)　　　　　　　~을 야기[초래]하다┐
in weakened relationships with people, not to mention lost
┘　　　　　　　　　　　　　　　　　~은 말할 것도 없이
money, neglect of schoolwork, and a lot of wasted time. ❾ I
　　　　　　　　　　　　　　　　많은(= lots of)
used to be a serious addict too. ❿ But now, I have dealt with it.
　~ 이었다　　　　　　　┌─to부정사(tips 수식)
⓫ Here are some ㉠tips to overcome it.
　here are+복수명사: 여기 ~들이 있다
⓬ (1) Try to reduce or limit game time gradually and stop
　　　try+to부정사: ~하려고 노력하다
　　　visiting PC rooms.
　　　stop+동명사(목적어)
⓭ (2) Delete the game program and game ID and stay away
　　　　　동사1　　　　　　　　　　　　　동사2
　　　from gaming computers.

⓮ (3) Train your mentality: realize [that high scores in games will
　　　　　　　　　　　　　　　　└명사절(realize의 목적어)
　　　not be helpful in your future].

⓯ (4) Get busy doing something else like reading books or
　　　get busy+-ing: ~하느라 바빠지다　　 젠~와 같은
　　　playing sports.

지문 해석

❶ Q : 저는 어떻게 하면 온라인 게임 중독을 멈출 수 있을까요?
❷ 안녕하세요, 저는 제가 온라인 게임에 중독되었다고 말해야 해서 창피합
니다. ❸ 게임을 여러 번 삭제했지만 나중에 또 다시 설치했습니다. ❹ 저의
학업 그리고 사람들과의 관계는 더 악화되고 있습니다. ❺ 저는 죄책감이 드
는데, 어떻게 해야 할까요?
❻ A : 베스트 답변
❼ 정말 안됐네요! ❽ 온라인 게임 중독은 사람들과의 약화된 관계, 돈 낭비
는 말할 것도 없이, 학업 소홀, 그리고 많은 시간 낭비를 야기할 수 있습니
다. ❾ 저도 심각한 중독자였습니다. ❿ 하지만 지금은 그것을 해결했습니다.
⓫ 그것을 극복하기 위한 몇 가지 조언이 여기 있습니다.
⓬ (1) 게임 시간을 서서히 줄이거나 제한하려고 노력하고 PC방 가는 것을 멈
　　춰라.

⓭ (2) 게임 프로그램과 게임 아이디를 삭제하고 게임 컴퓨터를 멀리해라.
⓮ (3) 당신의 정신 상태를 훈련해라: 게임 속 높은 점수가 당신의 미래에 전혀
　　도움이 되지 않는다는 것을 인식해라.
⓯ (4) 독서나 운동과 같은 다른 것을 하느라 바빠져라.

정답인 이유

1 빈칸 추론

정답 ①

해설 빈칸 뒤에서 '극복하기 위한 조언'이 있다고 말하고 있으므로 빈
칸에는 성공했다는 내용의 ① '그것을 해결했다'가 적절하다.

해석

① 그것을 해결했다　② 개선하지 못했다　③ 더 심각해졌다
④ 중독 습관을 가지고 있다　⑤ 중독을 통제할 수 없다

2 내용 일치

정답 ④

해설 조언 (3)에서 높은 게임 점수가 전혀 도움이 되지 않는다고 했
으므로 ④ '당신의 높은 게임 점수를 잘 활용해라'는 조언의 내용과 일치
하지 않는다.

해석 조언의 내용과 일치하지 않는 것은?
① 온라인 게임을 하는 데 적은 시간을 써라.
② 게임 프로그램과 게임 아이디를 없애라.
③ 게임 컴퓨터를 멀리 해라.
④ 당신의 높은 게임 점수를 잘 활용해라.
⑤ 컴퓨터에 앉는 것보다 다른 것을 해라.

3 서술형

정답 (1) 사람들과의 약화된 관계 (2) 돈 낭비 (3) 학업 소홀
　　　(4) 많은 시간 낭비

해설 ❽에서 온라인 게임 중독은 사람들과의 약화된 관계, 돈 낭비는
말할 것도 없이, 학업 소홀, 그리고 많은 시간 낭비를 야기할 수 있다고
온라인 게임 중독의 폐해에 대해 말하고 있다.

제대로 독해법

어휘 Level Up

1ⓑ　2ⓓ　3ⓐ　4ⓜ　5ⓝ　6ⓒ　7ⓕ　8ⓖ　9ⓘ
10ⓙ　11ⓛ　12ⓗ　13ⓔ　14ⓚ

내신 Level Up

정답 ②

해석
① 당신의 손가락 끝으로 가리켜라.
② 여기 돈을 절약하는 방법에 대한 유용한 조언들이 있다.
③ 그는 웨이터에게 후한 팁을 주었다.
④ 그 배는 한쪽으로 기울었다.
⑤ 이것은 빙산의 일각이다.

구문 Level Up

정답 to solve

해설 「try+to부정사」는 '~하기 위해 노력하다'의 뜻을 나타낸다.

개와 금붕어 중 당신의 선택은?

지문 분석

❶ Do you know how to spend money wisely? ❷ Before
　　　　　know의 목적어 역할을 하는 의문사구(how to부정사: ~하는 방법)
spending some money, ask yourself one basic question; How
　　　　　　　　　　　　　　　　　　　　재귀대명사(재귀 용법, 생략 불가)
will this purchase affect my life?

(C) ❸ Let's say you're going to buy a pet animal. ❹ You
　　　~을 가정해 보자　　　be going to: ~할 것이다
could pay 50 dollars for a goldfish, tank, and fish food.

❺ Or you could pay thousands of dollars for a pet dog.
　　　　　　　　　　　수천의
❻ Compared with a goldfish, caring for a dog comes with a
　~와 비교하여　　　　　　　동명사구(주어)　　　　　~이 따라 오다
big time burden and big price tag.

(B) ❼ But [what many people fail to consider] is [that ㉠having
　　　　└ 관계대명사절(주어) ┘　　　　　　　└명사절(보어)
a pet dog can change the quality of their time]. ❽ How can
　　　　　　　동명사구(주어)　　　　　　　　　　　　　　동격의 of
this happen? ❾ Having a dog gives us [the responsibility of]
　　　　　　　　　　　　　동사　간·목　직·목
going on walks and chances to talk with other dog owners].
go on a walk: 산책하러 가다 ↑　　└to부정사(chances 수식)

(A) ❿ A research shows [this kind of caring and communication
　　　　　　　　　(shows의 목적어절을 이끄는 접속사 that 생략)
brings more meaningful moments to us]. ⓫ Wise

spending doesn't always mean spending less money.
　　　　　　　　　부분부정(항상 ~한 것은 아니다)
⓬ Instead, think of the value [it will bring to us].
　　　　　　　　　선행사 ↑　　│관계대명사절(목적격 관계대명사 생략)

지문 해석

❶ 당신은 현명하게 돈을 쓰는 방법을 알고 있는가? ❷ 돈을 쓰기 전에 '이 구매가 내 삶에 어떻게 영향을 미칠까?'라는 기본적인 질문을 스스로에게 던져 보라. (C) ❸ 당신이 애완동물을 살 거라고 가정해 보자. ❹ 당신은 금붕어, 어항, 물고기 먹이를 사는 데 50달러를 쓸 수 있다. ❺ 아니면 애완견에 수천 달러를 쓸 수 있다. ❻ 금붕어와 비교해서 개를 돌보는 것은 큰 시간 부담과 비싼 가격이 따른다. (B) ❼ 그러나 많은 사람들이 고려하지 못하는 것은 애완견을 기르는 것이 그들의 시간의 질을 변화시킬 수도 있다는 것이다. ❽ 어떻게 이런 일이 일어나는가? ❾ 개를 기르는 것은 우리에게 산책을 하는 책임감과 다른 개의 주인들과 이야기를 할 기회를 준다. (A) ❿ 한 연구는 이러한 종류의 돌봄과 의사소통이 우리에게 더 의미 있는 순간을 가져다준다는 것을 보여준다. ⓫ 현명한 소비는 항상 더 적은 돈을 소비하는 것을 의미하는 것은 아니다. ⓬ 대신에 그것이 우리에게 가져다줄 가치에 대해 생각해 보라.

정답인 이유

1 순서 파악
정답　⑤
해설　현명하게 돈을 쓰는 방법 소개 → (C) 금붕어와 애완견을 기르는 것을 비교 → (B) 애완견을 기르는 것은 사람들의 시간의 질을 변화시킴 → (A) 현명한 소비는 그것이 우리에게 가져다줄 가치에 대해 생각해 보는 것임

2 빈칸 추론
정답　⑤
해설　빈칸 앞에서 현명하게 돈을 쓰기 위해 하는 질문이라고 했으므로 빈칸에는 문맥상 ⑤ '이 구매가 내 삶에 어떻게 영향을 미칠까'가 적절하다.
해설　빈칸에 들어갈 말로 가장 적절한 것은?
① 사는 것이 얼마나 쉬운가　　② 어떻게 돈을 절약할 수 있는가
③ 비용이 얼마나 드는가　　④ 그것은 생활에 필요한 소비인가
⑤ 이 구매가 내 삶에 어떻게 영향을 미칠까

3 서술형
정답　가치(의미)를 생각하며 돈을 쓴다. (삶의 질적 변화를 가져오게 돈을 쓴다.)
해설　마지막 문장에서 현명한 소비는 그것이 우리에게 가져다줄 가치에 대해 생각해 보는 것이라고 말하고 있다.

제대로 독해법

어휘 Level Up
1ⓝ　2ⓙ　3ⓒ　4ⓓ　5ⓐ　6ⓗ　7ⓜ　8ⓕ　9ⓚ
10ⓖ　11ⓘ　12ⓔ　13ⓑ　14ⓛ

내신 Level Up
정답　산책하는 책임감과 다른 개의 주인들과 이야기할 기회를 준다.
해설　개를 기르는 것이 시간의 질을 변화시킬 수 있다면 산책하는 책임감과 다른 개의 주인들과 이야기할 기회를 준다고 말하고 있다.

구문 Level Up
정답　a digital camera to the repair shop
해설　간접목적어(the repair shop) 앞에 전치사(to)를 붙여 직접목적어(a digital camera) 뒤에 오도록 한다.

어휘 테스트
▶ p.78

A 1 appearance　2 wrong　　　3 encourage　4 practice
　　5 schoolwork　6 goldfish

B 1ⓐ　2ⓒ　3ⓑ
해석　1 기회　2 만족시키다　3 가격(표)
ⓐ 무언가를 할 기회
ⓑ 상품에 붙어 있는 가격이 적힌 종이
ⓒ 그들이 원하거나 필요로 하는 것을 줌으로써 누군가를 기쁘게 하다

Day 13 Reading 01

▸ pp.82~83

블랙홀 첫 촬영

지문 분석

❶ Do you believe [that black holes can be seen]?
└ 명사절(believe의 목적어)

(B) ❷ Now, some scientists succeeded in taking a picture of it.
└ succeeded in -ing: ~하는 데 성공하다

❸ They actually needed a telescope in the size of a planet

to observe any black hole. ❹ However, this was almost
└ to부정사(~하기 위해서)

impossible in that the planet-sized telescope would collapse
└ ~라는 점에서

under its own weight.

(A) ❺ In April 2018, a certain scientists' group had an idea to
└ -s로 끝나는 명사의 소유격 ↑

connect telescopes together as much as they needed to
└ to부정사(an idea 수식)   └ as+원급+as: ~만큼 …한[하게]

see a black hole. ❻ They combined images from the eight

telescope facilities to analyze a zone in which they suspected
└ to부정사(~하기 위해서)   └ 전치사+관계대명사(= where)

a black hole exists.

(C) ❼ After one year, they were successful in capturing the
└ be successful in -ing: ~하는 데 성공하다

detailed images of a black hole over a great distance.

❽ It was a giant leap in technology, [connecting the world's
└ 분사구문(= as it connected ~)

best telescopes]. ❾ Space scientists helped each other to

capture a picture of black holes.

지문 해석

❶ 당신은 블랙홀이 보일 수 있다고 믿는가?
(B) ❷ 이제, 일부 과학자들이 그것의 사진을 찍는 데 성공했다. ❸ 그들은 사실 블랙홀을 관측하는 데 행성 크기만 한 망원경이 필요했다. ❹ 그러나, 행성 크기의 망원경이 자기 무게를 못 이겨 무너질 것이라는 점에서 이것은 거의 불가능했다. (A) ❺ 2018년 4월에 어떤 과학자 단체가 블랙홀을 보는 데 필요한 만큼 망원경들을 서로 연결하자는 생각을 했다. ❻ 그들은 블랙홀이 존재할 것이라고 의심했던 지역을 분석하기 위해 8개의 망원경 시설로부터 나오는 이미지를 결합했다. (C) ❼ 1년 후 그들은 엄청난 거리로 떨어져 있는 블랙홀의 자세한 이미지를 포착해 내는 데 성공했다. ❽ 이것은 세계 최고의 망원경들을 연결하였기 때문에, 기술면에서 큰 도약이었다. ❾ 우주 과학자들은 블랙홀의 사진을 찍을 수 있도록 서로 도왔다.

정답인 이유 ✎

1 빈칸 추론

정답 ②

해설 이 글의 내용에 따르면, 물리적으로 만들기가 불가능한 망원경을 과학자들이 서로 힘을 모아 8개의 망원경이 관측하는 이미지를 합쳐서 블랙홀을 관측하는 데 성공할 수 있었다. 따라서, 과학자들이 서로 도와 블랙홀의 사진을 찍을 수 있었다는 내용의 ②가 빈칸에 가장 적절하다.

해석
① 블랙홀에 도달하기 위해 우주선을 개발했다
② 블랙홀의 사진을 찍을 수 있도록 서로 도왔다
③ 블랙홀의 사진을 찍기 위해 서로 경쟁했다
④ 블랙홀을 관찰할 수 있도록 최고 성능의 카메라를 발명했다
⑤ 블랙홀의 사진을 찍을 수 있게 망원경을 우주로 보냈다

2 순서 파악

정답 ②

해설 블랙홀이 관측될 수 있는지에 대한 주어진 질문 다음에 (B)에 나오는 과학자들이 관측에 성공했다는 내용이 오는 것이 적절하다. 그 다음에 그들이 사진을 찍을 수 있었던 과정이 나오는 (A)가 이어지고, 그 과정을 통해 사진을 찍은 결과와 의미를 설명하는 (C)가 마지막으로 와야 자연스럽다.

해석 이 글의 순서로 가장 적절한 것은?

3 서술형

정답 블랙홀을 촬영하려면 행성 크기의 망원경이 필요한데, 그렇게 크게 만들 경우 망원경이 자기 무게를 지탱할 수 없어서 무너지기 때문에

해설 (B)에 블랙홀을 하나의 망원경으로 촬영할 수 없었던 이유가 잘 나타나 있다. '자기 무게를 지탱할 수 없기 때문에'라는 말이 들어가면 정답으로 인정한다.

제대로 독해법

어휘 Level Up

1 ⓑ   2 ⓔ   3 ⓝ   4 ⓓ   5 ⓗ   6 ⓐ   7 ⓘ   8 ⓖ   9 ⓚ
10 ⓙ   11 ⓒ   12 ⓕ   13 ⓘ   14 ⓜ

내신 Level Up

정답 telescope

해설 멀리 떨어져 있는 것을 더 크고 더 가깝게 보이게 하는 것은 망원경(telescope)이다.

해석 그것은 튜브(관)처럼 생긴 긴 기구이다. 그것 안에는 그것을 통해 볼 때 멀리 떨어져 있는 것을 더 크고 더 가깝게 보이게 하는 렌즈가 있다.

구문 Level Up

정답 with

해설 선행사가 a pen이고 write with가 '~으로 쓰다'라는 의미를 나타내므로 with which가 알맞다.

잠수함의 작동 원리

지문 분석

❶ A submarine is made of steel, which means [it is extremely
　be made of: ~으로 만들어지다　　　관계대명사의 계속적 용법(= and it)
(means의 목적어절을 이끄는 접속사 that 생략)
heavy]. **❷** Have you ever wondered how submarines float
　　　　Have/Has+주어+p.p.~?(현재완료 의문문)　　간접의문문(의문사+주어+동사)
and dive though they are not light? **❸** ⓐIf so, let me give you
　　　　　　　　　　　　　　접 ~에도 불구하고　　　let+목적어+동사원형: (목적어)가 ~하게 하다
an example. **❹** ⓑImagine you have a cup. **❺** ⓒMake sure it
　　　　　　　　　　　　　　　　　　　　　　　　　확인하다　　= the cup
is empty and then put it in the water upside down. **❻** ⓓTry
　　　　　　　　　　　　　　　　　　　　뒤집어서
pushing it into the water. **❼** ⓔThe water should be warm and
try+-ing: (한번) ~해보다
clean enough to make you comfortable. **❽** It is not easy [to
형용사+enough to부정사: ~할 정도로 충분히 …한　　　가주어　　　　　to부정사구
make the cup sink] because of the air in it. **❾** The air makes　(진주어)
make+목적어+동사원형　　　because of+명사(구): ~ 때문에
it float. **❿** Furthermore, as soon as you stop pushing it, it will
　　　　　　　　　　　　接 ~하자마자　　　stop+동명사(목적어)
just float back to the surface. **⓫** This is how submarines float.
　　　　　　　　　　　　　　　　　　　　관계부사(선행사 the way 생략)
⓬ They have a tank called a ballast. **⓭** As long as they have
　　　　　　　　↑____ 과거분사구　　　　接 ~하는 한
air in the tank, they float. **⓮** When submarines need to ㉠go
　　　　　　　　　　　　　　　　　　接 ~할 때
underwater, just letting water come into and fill the tank is
　　　　　　　　　동명사구(주어)　　　　　　　　　　　　　　　　동사
enough.

지문 해석

❶ 잠수함은 강철로 만들어지는데, 그것은 잠수함이 매우 무겁다는 것을 의미한다. **❷** 잠수함이 가볍지 않음에도 불구하고 어떻게 물에 뜨고 잠수하는지 궁금하게 여겨 본 적이 있는가? **❸** 만약 그렇다면 예를 하나 들어보겠다. **❹** 당신이 컵을 하나 가지고 있다고 가정하자. **❺** 그것(컵)이 비어 있는 것을 확인하고 뒤집어서 물에 놓아라. **❻** 그것을 물속으로 밀어 넣어 보아라. **❼** (물은 당신이 편안해질 정도로 충분히 따뜻하고 깨끗해야 한다.) **❽** 그(컵) 속의 공기 때문에 컵을 가라앉게 만드는 것은 쉽지 않다. **❾** 그 공기가 그것(컵)을 뜨게 만든다. **❿** 게다가 당신이 그것(컵)을 누르는 것을 멈추자마자 그것(컵)은 바로 다시 표면으로 뜰 것이다. **⓫** 이것이 잠수함이 뜨는 방식이다. **⓬** 그것들(잠수함들)은 밸러스트라고 불리는 탱크를 가지고 있다. **⓭** 탱크 속에 공기가 있는 한 그것들(잠수함들)은 뜬다. **⓮** 잠수함이 물속으로 들어가야 할 때 물을 탱크 안으로 들어오게 해서 탱크를 채우는 것만으로도 충분하다.

정답인 이유

1 무관한 문장

정답　⑤

해설　ⓔ '물이 따뜻하고 깨끗해야 한다.'라는 내용은 잠수함이 어떻게 물에 뜨고 잠수하는지 그 원리에 대한 글의 전체 흐름과 어울리지 않는다.

2 제목 추론

정답　③

해설　잠수함이 뜨고 가라앉는 원리를 설명하는 글이므로 ③이 제목으로 가장 적절하다.

해석　이 글의 제목으로 가장 적절한 것은?
① 컵을 가라앉게 만드는 것은 무엇인가?
② 잠수함의 역사와 디자인
③ 잠수함이 바다에서 뜨고 가라앉는 방법
④ 전 세계의 다양한 잠수함
⑤ 잠수함: 바다의 가장 강력한 무기 중 하나

3 서술형

정답　(1) air　(2) water　(3) ballast

해설　잠수함은 어떻게 작동할까? 잠수함은 탱크가 공기로 채워져 있을 때 뜰 수 있다. 그것(잠수함)의 탱크가 물로 가득 채워지면 그것(잠수함)은 가라앉을 것이다. 그 탱크의 이름은 밸러스트이다.

제대로 독해법

어휘 Level Up

1 ① 　2 ⓚ 　3 ⓔ 　4 ⓟ 　5 ⓕ 　6 ⓒ 　7 ⓗ 　8 ① 　9 ⓓ
10 ⓞ 　11 ⓑ 　12 ① 　13 ⓖ 　14 ⓜ 　15 ⓐ 　16 ⓝ

내신 Level Up

정답　①

해설　go underwater(물속으로 들어가다)와 의미가 가장 가까운 것은 dive(잠수하다)이다.

해석　① 잠수하다　② 싣다　③ 뜨다　④ 궁금해하다　⑤ 상상하다

구문 Level Up

정답　Because → Because of

해설　Because는 절(주어+동사)과 함께 쓰이는데 뒤에 명사(a hurricane)가 왔으므로 Because of로 고쳐 써야 한다.

▶ pp.86~87

금성은 어떤 행성일까?

지문 분석

❶ Venus is <u>the second closest planet</u> to the Sun. ❷ It is about
the+서수+최상급: ~번째로 …한
the same size as Earth but has so many different features.
the same(+명사) as ~: ~와 똑같은
❸ ⓐ<u>Unlike</u> the Earth, Venus spins clockwise, so the sun comes
젠 ~와는 달리
up in the west there. ❹ In addition, <u>it takes</u> only <u>225 days for</u>
게다가   it takes+시간+for 의미상 주어+to부정사
Venus to go around the Sun, because it goes around the Sun
젠 ~ 때문에
in a smaller circle. ❺ An interesting thing is [that on Venus,
└ 명사절(보어)
the days are longer than the years are]. ❻ ⓑThat's because
비교급+than: ~보다 더 …한   그것은 ~ 때문이다
Venus spins very slowly, so a day on Venus is as long as 243
as+원급+as: ~만큼 …한(원급비교)
Earth days. ❼ Then is it possible to live on Venus? ❽ No.
가주어   to부정사구(진주어)
❾ ⓒPeople standing on Venus would be crushed to death
현재분사구   짓눌려 죽다
by the air pressing down on them. ❿ ⓓVenus is now under
현재분사구/press down on: ~을 누르다   개발 중인
development by scientists. ⓫ Moreover, the clouds of
게다가
carbon dioxide hold heat, making Venus too hot to live on.
분사구문(= and they made ~)
⓬ ⓔBesides, this heat has boiled away the water on Venus,
또한   현재완료시제(have/has+p.p.)
which means there's no water there.
관계대명사의   ~이 없다
계속적 용법

지문 해석

❶ 금성은 태양에 두 번째로 가까운 행성이다. ❷ 그것은 지구와 대략 같은 크기지만 여러 가지 다른 특징들을 갖고 있다. ❸ 지구와는 달리 금성은 시계 방향으로 돈다. 그래서 거기서는 태양이 서쪽에서 뜬다. ❹ 게다가 금성이 태양 주위를 도는 데는 225일 밖에 걸리지 않는데, 금성은 태양 둘레를 더 작은 궤도로 돌기 때문이다. ❺ 한 가지 흥미로운 점은 금성에서는 하루가 일 년보다 더 길다는 것이다. ❻ 그것은 금성이 매우 천천히 회전해서 금성에서의 하루가 지구의 243일과 같기 때문이다. ❼ 그렇다면 금성에서 사는 것은 가능할까? ❽ 불가능하다. ❾ 금성에서 서 있는 사람들은 그들을 누르는 공기에 의해 짓눌려 죽을 것이다. ❿ (금성은 지금 과학자들에 의해 개발 중이다.) ⓫ 게다가 이산화탄소 구름은 열기를 붙들어 금성을 살기에 너무 뜨거운 곳으로 만들었다. ⓬ 또한 이 열기는 금성에 있는 물을 끓여서 증발시켰고, 이것은 그곳에 남아 있는 물이 없다는 것을 의미한다.

정답인 이유

1 내용 일치

정답 ④

해설 ❻에서 금성에서의 하루가 지구의 243일과 같다고 했으므로 ④는 내용과 일치하지 않는다.

해석
① 지구만한 크기의 행성이 시계 방향으로 돈다.
② 금성이 태양 주위를 도는 데는 225일 밖에 걸리지 않는다.
③ 금성은 지구보다 더 작은 궤도로 태양 주위를 돈다.
④ 금성에서 일 년은 지구의 243일과 같다.
⑤ 이산화탄소 구름은 금성을 뜨거운 행성으로 만들었다.

2 무관한 문장

정답 ④

해설 이 글은 금성의 크기, 특징과 같은 사실들을 설명하고 있는 내용이므로 ⓓ '금성은 지금 과학자들에 의해 개발 중이다.'라는 내용은 글의 전체 흐름과 관계가 없다.

해석 ⓐ~ⓔ 중에서 글의 전체 흐름과 관계없는 문장은?

3 서술형

정답 (1) air (2) hot (3) water

해설
Q: 사람들은 금성에서 살 수 있나요?
A: 아니오. 사람들은 공기에 짓눌려 죽을 것입니다. 게다가 그곳은 사람들이 살기에 너무 뜨겁고 그곳에는 물이 없습니다.

제대로 독해법

어휘 Level Up

1 ⓞ   2 ⓚ   3 ⓘ   4 ⓝ   5 ⓜ   6 ⓔ   7 ⓕ   8 ⓓ   9 ⓙ
10 ⓛ   11 ⓖ   12 ⓗ   13 ⓒ   14 ⓐ   15 ⓑ

내신 Level Up

정답 금성은 시계 방향으로 돌기 때문에

해설 ❸에서 지구와는 달리 금성은 시계 방향으로 돌기 때문에 태양이 서쪽에서 뜬다고 설명하고 있다.(지구는 시계 반대 방향으로 돌기 때문에 태양이 동쪽에서 뜬다.)

구문 Level Up

정답 playing

해설 '베이스 기타를 치고 있는'을 표현하려면 '~하고 있는'의 의미를 나타내는 현재분사 playing을 써야 한다. playing the bass guitar가 명사 the boy를 수식하고 있다.

Day 14 Reading 02

▸ pp.88~89

우주에서 우주 비행사에게 무슨 일이 생길까?

지문 분석

❶ What happens to astronauts in space? ❷ In space they can't
　　　　　　　　　　　　　　　　전치사구
stand or walk — they float. ❸ It changes the astronauts' bodies
　　　　　　　　　　　　앞 문장을 가리킴
and brains. ❹ For example, they get about 1.5 inches(3.8 cm)
　　　　　　　　예를 들어　　　　　　　　　　　1인치＝2.54센티미터
taller. ❺ Their hearts get smaller because the blood in their
　　　　　　　　get＋비교급: 더 ~해지다　　　주어(단수명사) 전치사구
bodies (A) move / moves up to their heads. ❻ Also, their bones
　　　　　단수동사(주어와 수일치)
and muscles get weaker. ❼ To keep them strong, astronauts
　　　　　　　　　　　　　　　　to부정사(~하기 위해서)
must exercise every day. ❽ The brain also changes in space.

❾ About 65% of astronauts (B) get / gets motion sickness in
　　　　65%＋of＋복수명사 ──→ 복수 취급 ──→ 복수동사(get)
space. ❿ They may also sweat and have headaches. ⓫ Other
　　　　　　　　　　　　　　　　　　　　　　　　주어
changes in the brain ㉠서 있는 것과 걷는 것을 어렵게 만든다 for the
　　　　　　　　　　전치사구
first few days back on earth. ⓬ Scientists study these changes
to keep astronauts (C) healthy / healthily in space for a longer
to부정사(~하기 위해서)
time. ⓭ Then, astronauts can take longer trips to visit other
　　　　　　　　　　　　　　　　　　　　└to부정사
　　　　　　　　　　　　　　　　　　　　(longer trips 수식)
planets.

지문 해석

❶ 우주에서 우주 비행사들에게 무슨 일이 생길까? ❷ 우주에서 그들은 서 있
거나 걸을 수 없다. 그들은 떠 있다. ❸ 그것은 우주 비행사들의 몸과 뇌를 변
화시킨다. ❹ 예를 들어, 그들은 약 1.5인치(3.8 cm) 더 크다. ❺ 그들의 심장
은 더 작아지는데 몸속의 혈액이 머리 쪽으로 이동하기 때문이다. ❻ 또한, 그
들의 뼈와 근육은 더 약해진다. ❼ 그것들을 강하게 유지하기 위해서, 우주 비
행사들은 매일 운동을 해야 한다. ❽ 뇌 또한 우주에서 변화한다. ❾ 우주 비
행사의 약 65%가 우주에서 멀미를 한다. ❿ 그들은 또한 땀을 흘리고 두통
이 생길 수 있다. ⓫ 뇌 속의 다른 변화들은 지구로 돌아와서 처음 며칠 동안
서 있는 것과 걷는 것을 어렵게 만든다. ⓬ 과학자들은 우주 비행사들을 우주
에서 더 오랫동안 건강하게 하기 위해서 이러한 변화들을 연구한다. ⓭ 그래
서 우주 비행사들이 다른 행성에 방문하는 더 긴 여행을 할 수 있다.

정답인 이유

1 어법성 판단

정답 ③

해설
(A) 주어가 단수명사(the blood)이므로 단수동사 moves가 적절하다.
(B) 65% of 뒤에 복수명사 astronauts에 수일치하는 복수동사 get이
　　적절하다.

(C) 「keep＋목적어＋목적격보어」의 5형식 형태로 목적격보어 자리에
　　는 형용사 healthy가 적절하다.

2 내용 일치

정답 ⑤

해설 과학자들이 우주 비행사들을 우주에서 건강하게 하기 위해서
연구를 한다는 내용은 언급되었지만 ⑤ '우주 비행사들의 몸이 더 건강
해진다'는 내용은 언급되지 않았다.

해석 우주에서 우주 비행사들의 증상이 아닌 것은?
① 우주 비행사들은 3.8 cm 더 크다.
② 우주 비행사들의 심장은 더 작아진다.
③ 우주 비행사들의 뼈와 근육은 더 약해진다.
④ 우주 비행사들은 땀을 흘리고 두통이 생긴다.
⑤ 우주 비행사들의 몸은 더 건강해진다.

3 서술형

정답 make it difficult to stand and walk

해설 it은 가목적어이고 to stand and walk가 진목적어이다.

제대로 독해법

어휘 Level Up

1ⓔ　2ⓐ　3ⓒ　4ⓓ　5ⓖ　6ⓗ　7ⓘ　8ⓑ　9ⓙ

10ⓕ　11ⓚ　12ⓛ

내신 Level Up

정답 ③

해설 우주 공간에서 겪게 되는 우주 비행사들의 신체 변화에 대한 내용의
글이므로 ③ '우주에서 우주 비행사의 신체 변화들'이 글의 제목으로 가장 적
절하다.

해석
① 우주 생활에 필수적인 조건들
② 우주에서 신체 훈련의 필요성
③ 우주에서 우주 비행사의 신체 변화들
④ 우주 비행사가 되기 위한 훈련
⑤ 더 나은 우주 비행을 위한 연구

구문 Level Up

정답 save → to save

해설 '그를 구할'의 의미는 명사구(the only thing)를 수식하는 형용사적
용법의 to부정사를 사용하여 표현할 수 있다. 따라서 save를 to save로 고쳐
써야 한다.

어휘 테스트

▸ p.90

Ⓐ 1 connect　2 telescope　3 collapse　4 submarine
　5 upside down　6 clockwise

Ⓑ 1ⓒ　2ⓑ　3ⓐ
해석 1 짓누르다　2 (물에) 뜨다　3 궁금해하다
ⓐ 어떤 것에 대해 알고 싶은 바람을 표현하거나 질문을 하다
ⓑ 액체의 표면 위에 있으면서 가라앉지 않다
ⓒ 어떤 것을 부서지도록 매우 심하게 누르다

Chapter 8 Stories · Origins

Day 15 Reading 01

▶ pp.94~95

이번 겨울은 정말 추울 것 같아요!

지문 분석

❶ The chief of a Native American tribe wanted to know
　　　　　　북미 원주민　　　　　　　　　　　want+to부정사(목적어)
whether the coming winter would be cold or not. ❷ He
~인지 아닌지
㉠made a decision to call the National Weather Service to
make a decision: 결정하다　to부정사(목적어) 비교급 강조　to부정사(~하기 위해서)
ask about it. ❸ He thought [it was much more scientific and
　　　　　　　　　　　(명사절을 이끄는 접속사 that 생략)　비교급+than(~보다 더 …한)
accurate than predicting weather in a traditional way]. ❹ A man

at the National Weather Service said, "Yes, it is going to be a
비인칭 주어(날씨)
cold winter." ❺ So the chief ordered his tribe to collect lots of
　　　　　　　　　　order+목적어+to부정사: 5형식　　　= a lot of
firewood. ❻ When the chief called the Weather Service again,
　　　　　접 ~할 때
the weatherman said, "Yes, it will be really cold." ❼ So the chief

told his people again to collect as much firewood as possible.
tell+목적어+to부정사: 5형식　　as ~ as possible: 가능한 한 ~한[하게]
❽ A month later the chief called the National Weather Service

once more and the man said, "It will be the coldest winter in
　　　　　　　　　　　　　　　　　　　　　　cold의 최상급　　최근에
recent years." ❾ "What makes you so sure?" the chief asked.

❿ (A)The weatherman answered, "Because Native Americans in

this area are collecting firewood like crazy."
　　　　　　　　　　　　　　　미친 듯이

지문 해석

❶ 한 북미 원주민 부족의 추장은 다가오는 겨울이 추울지 안 추울지를 알고
싶었다. ❷ 그는 그것에 대해 물어보기 위해 국립 기상청에 전화하기로 결정
했다. ❸ 그는 그것이 전통적인 방법으로 날씨를 예측하는 것보다 훨씬 더 과
학적이고 정확하다고 생각했다. ❹ 국립 기상청에 있는 사람이 "네, 추운 겨
울이 될 것입니다."라고 말했다. ❺ 그래서 추장은 그의 부족에게 많은 땔감
을 모으라고 지시했다. ❻ 추장이 기상청에 다시 전화했을 때 기상 예보관이
"네, 정말 추울 것입니다."라고 말했다. ❼ 그래서 추장은 다시 부족민들에게
땔감을 가능한 한 많이 모으라고 말했다. ❽ 한 달 후 추장은 한 번 더 기상청
에 전화했고 그 남자(기상 예보관)는 "최근에 가장 추운 겨울이 될 것입니다."
라고 말했다. ❾ "어떻게 그렇게 확신합니까?"라고 추장이 물었다. ❿ 기상
예보관이 "왜냐하면 이 지역의 원주민들이 미친 듯이 땔감을 모으고 있거든
요."라고 대답했다.

정답인 이유 ✏

1 내용 일치

정답 ⑤

해설 기상 예보관은 통화를 할 때마다 겨울이 추울 것이라고 대답했
으므로 ⑤는 내용과 일치한다.

2 밑줄 추론

정답 ⑤

해설 기상청에서 이번 겨울이 가장 추운 겨울이 될 것이라고 확신하
는 이유에 대한 대답으로 원주민들이 엄청 열심히 땔감을 모으고 있기
때문이라고 말했다. 따라서 기상청에서 원주민들의 행동에서 힌트를
얻고 일기 예보를 했다는 것을 알 수 있으므로 ⑤가 정답이다.

해석
① 국립 기상청은 일기 예보에 태만한 게 틀림없다.
② 유별나게 추운 겨울이 다가오고 있는 것은 사실이 아니다.
③ 북미 원주민들은 겨울을 준비하는 데 힘든 시간을 보낸다.
④ 국립 기상청은 원주민들과 잘 지내지 못한다.
⑤ 국립 기상청은 원주민들의 행동에서 날씨에 관한 힌트를 얻는다.

3 서술형

정답 (1) chief (2) cold (3) collected

해설 한 북미 원주민 부족의 추장이 기상 예보관에게서 다가올 겨울
이 정말 추울 것이라고 들었다. 기상 예보관은 추장의 부족민들이 연료
를 많이 모았기 때문에 그에게 그렇게 말했다.

제대로 독해법

어휘 Level Up

1 ⓑ 　2 ⓚ 　3 ⓓ 　4 ⓘ 　5 ⓐ 　6 ⓖ 　7 ⓙ 　8 ⓛ 　9 ⓕ
10 ⓔ 　11 ⓜ 　12 ⓗ 　13 ⓒ

내신 Level Up

정답 ②

해설 make a decision은 '결정하다'라는 뜻이므로 바꿔 쓸 수 있는 것은
② decided(결정했다)이다.

해석 ① 부인했다 ② 결정했다 ③ 모았다 ④ 예측했다 ⑤ 대답했다

구문 Level Up

정답 1. to do 2. to turn

해설
1. want는 5형식 문장에서 목적격보어로 to부정사가 오므로 to do가 알맞다.
2. ask(asked)는 5형식 문장에서 목적격보어로 to부정사가 오므로 to turn
이 알맞다.

Reading 02

▶ pp.96~97

여우를 만난 어린 왕자

지문 분석

❶ "My life is monotonous. ❷ I hunt chickens; people hunt me.

❸ All chickens are just ⓐalike, and all men are just alike."
형 서로 같은[비슷한], 명사 앞에는 안 씀

(C) ❹ "So I'm rather bored. ❺ But if you ⓓwill tame me, my
(x) → tame(○)
life will be filled with sunshine. ❻ I'll know the sound
~으로 가득 차다   선행사
of footsteps ⓔ[that will be different from all the rest].
관계대명사절(주격) ~와 다르다
❼ Other footsteps send me back underground. ❽ Yours will
= Your footsteps
call me out of my burrow like music."
전 ~처럼

(A) ❾ "And then, look! ❿ You see the wheat fields over there?

⓫ I don't eat bread. ⓬ For me, wheat is ⓑof no use
be of no use: 쓸모없다
whatsoever. ⓭ Wheat fields say nothing to me, which is sad.
부 전혀(whatever의 강조형)
⓮ But you have golden hair. ⓯ So it will be wonderful, once
접 일단 ~하면
you've tamed me!"

(B) ⓰ "The wheat, [which is golden], will remind me ⓒof you.
관계대명사의 계속적 용법   remind A of B: A에게 B를 생각나게 하다
⓱ And I'll love the sound of the wind in the wheat." ⓲ The

fox fell silent and stared at the little prince for a long while.
stare at: ~을 응시하다   오랫동안
⓳ "Please, tame me! ⓴ If you want a friend, tame me," he

said.

지문 해석

❶ "내 삶은 단조로워. ❷ 나는 닭을 사냥하고 사람들은 나를 사냥해. ❸ 모든 닭들이 똑같고, 모든 인간들도 다 똑같아." (C) ❹ "그래서 나는 좀 지루해. ❺ 하지만 만약 네가 나를 길들인다면 나의 삶은 햇빛으로 가득할 거야. ❻ 나는 나머지 전부와는 다를 발자국 소리를 알게 될 거야. ❼ 다른 발자국 소리는 나를 땅속으로 보내지. ❽ 네 것(너의 발자국 소리)은 음악처럼 나를 굴 밖으로 불러낼 거야." (A) ❾ "그리고 저길 봐! ❿ 저기에 있는 밀밭이 보이지? ⓫ 나는 빵을 먹지 않아. ⓬ 내게 밀은 전혀 쓸모가 없어. ⓭ 밀밭은 내게 아무 말도 하지 않아서 슬퍼. ⓮ 하지만 너는 금발 머리를 가지고 있어. ⓯ 그래서 일단 네가 나를 길들이게 되면 멋질 거야!" (B) ⓰ "밀밭은 금색이어서 나로 하여금 너를 생각나게 할 거야. ⓱ 그리고 나는 밀밭의 바람 소리를 사랑하게 될 거야." ⓲ 여우는 잠잠해졌고, 오랫동안 어린 왕자를 응시했다. ⓳ "제발, 나를 길들여! ⓴ 만일 네가 친구를 원한다면 나를 길들여."라고 그가 말했다.

정답인 이유

1 요지 추론

정답 ④

해설 지루한 삶을 사는 여우는 어린 왕자와의 관계를 통해 그의 발자국 소리가 음악이 되고, 밀밭을 보면 그가 생각나 밀밭의 바람 소리를 사랑하게 될 것이라고 말하고 있다. 따라서 ④ '관계가 삶을 살 가치가 있게 만든다.'가 이 글의 요지로 가장 적절하다.

해석
① 당신의 진실한 감정을 숨기지 마라.
② 그들의 말로 남을 판단하지 마라.
③ 우리가 자연에서 태어났다는 것을 기억해라.
④ 관계가 삶을 살 가치가 있게 만든다.
⑤ 어린 시절 기억은 항상 아름답다.

2 순서 파악

정답 ④

해설 단조로운 삶에 대한 여우의 독백 → (C) So 이후에 여우가 현재 자신의 지루한 삶에 대해 고백하며 어린 왕자가 길들여 주기를 원함 → (A) the wheat fields(밀밭)가 처음 등장하고, 어린 왕자의 금발 머리에 대해 언급함 → (B) 여우가 어린 왕자와 금색의 밀밭을 연관 짓고, 어린 왕자에게 친구를 원하면 자신을 길들여달라고 함

해석 이 글의 순서로 가장 적절한 것은?

3 서술형

정답 ⓓ will tame → tame

해설
ⓓ 조건 부사절에서는 현재시제가 미래를 나타내므로 will tame을 tame으로 고쳐 써야 한다.
ⓐ alike: '~와 같은'의 뜻을 가진 서술적 용법의 형용사이다.
ⓑ of no use: '쓸모없는(useless)'의 뜻을 가진다. 「전치사(of)+추상명사(use)」는 형용사구로 쓰인다.
ⓒ remind A of B: A에게 B를 상기시키다
ⓔ that: the sound of footsteps를 선행사로 하는 주격 관계대명사로 which로 바꿔 쓸 수 있다.

제대로 독해법

어휘 Level Up

1 ⓔ 2 ⓓ 3 ⓜ 4 ⓘ 5 ⓙ 6 ⓒ 7 ⓖ 8 ⓗ 9 ⓘ
10 ⓕ 11 ⓐ 12 ⓚ 13 ⓑ

내신 Level Up

정답 monotonous

해설 '절대 바뀌지 않는 정기적이고 반복적인 유형이기 때문에 매우 지루한'의 뜻을 갖는 단어는 monotonous(단조로운)이다.

구문 Level Up

정답 alike

해설 be동사 are 뒤에 오고 괄호 뒤에 명사가 없으므로 서술적 용법으로 쓰이는 형용사 alike가 알맞다.

더 얇게, 더 짜게, 더 바삭하게

지문 분석

❶ Did you know [that potato chips were invented by an angry chef]?
　　　　　　　　명사절(know의 목적어)　　수동태(be동사+p.p.)
❷ A chef named George Crum was working in the
　　　　　　　　과거분사구　　　　　　　과거진행시제(was/were+-ing)
summer of 1853 ⓐ where / when he invented the chip by
선행사　　　　　　　관계부사절　　　　　　　　한 접시의
accident. ❸ It all began when a person [who ordered a plate of
　　　　　　　접~할 때 선행사　　관계대명사절(주격)
French-fried potatoes] sent them back to Crum's kitchen.

(B) ❹ The customer said [that they were too thick, soft, and not
　　　　　　　　　　　명사절(said의 목적어)
salty enough]. ❺ To teach the picky customer a lesson, Crum
　　　　　　　　　to부정사(~하기 위해서)
sliced the potatoes as thin as he could. ❻ And then he fried
　　　as+원급+as+주어+can/could: 가능한 한 ~한[하게](= as+원급+as possible)
them until they were hard and crispy.
접~(때)까지

(C) ❼ Finally, he added a generous amount of salt. ❽ The dish
ended up ⓒ to be / being a hit with the customer and
end up -ing: 결국 ~하다　　　be a hit with: ~의 마음에 들다
potato chips were born.

(A) ❾ Years later, Crum opened his own restaurant [that had a
　　　　　　　　　　　　　　　선행사　　　　　관계대명사절(주격)
basket of potato chips on every table]. ❿ Though Crum never
한 바구니의　　　　　　　　　　　　　　　　접~이지만
attempted to patent his invention, the snack was eventually
　　　　= patenting　　　　　　　　　　　수동태(be동사+p.p.)
mass-produced and sold in bags — ⓑ providing / provided
　　　　　　　　(it was)　　　　　　　　= and it provided
thousands of jobs nationwide.
수천 개의

지문 해석

❶ 당신은 감자 칩이 화가 난 어떤 주방장에 의해 발명된 것을 알고 있었는가? ❷ 조지 크럼이라는 이름의 한 주방장이 1853년 여름에 일을 하던 중에 우연히 감자 칩을 발명했다. ❸ 그 모든 것은 감자튀김 한 접시를 주문한 어떤 사람이 그것을 크럼의 주방으로 돌려보냈을 때 시작되었다. (B) ❹ 그 손님은 그것들(감자튀김)이 너무 두껍고 부드러우며 충분히 짜지 않다고 말했다. ❺ 그 까다로운 고객에게 교훈을 주기 위해 크럼은 감자를 가능한 한 얇게 썰었다. ❻ 그러고 나서 그는 그것들이 단단하고 바삭바삭해 질 때까지 튀겼다. (C) ❼ 마지막으로, 그는 푸짐한 양의 소금을 더했다. ❽ 그 요리는 결국 그 손님의 마음을 사로잡았고 감자 칩이 탄생했다. (A) ❾ 몇 년 뒤, 크럼은 테이블마다 감자 칩 한 바구니가 있는 자신의 식당을 열었다. ❿ 크럼은 결코 자신의 발명품에 대해 특허를 받으려고 시도하지는 않았지만 그 간식은 결국 대량 생산되고 봉지에 넣어 팔렸으며 전국에 수천 개의 일자리를 제공했다.

정답인 이유

1 순서 파악
정답 ③

해설　손님이 감자튀김을 크럼의 주방으로 돌려보냄 → (B) 그 손님에게 교훈을 주기 위해 크럼이 감자를 얇게 썰어 단단하고 바삭해질 때까지 튀김 → (C) 마지막으로 소금을 많이 뿌렸고 감자 칩이 탄생함 → (A) 나중에 크럼이 자신의 식당을 열었고 감자 칩은 대량으로 팔려나감

2 어법성 판단
정답 ③

해설
ⓐ 선행사(in the summer of 1853)가 시간을 나타내므로 관계부사 when이 알맞다.
ⓑ and it provided를 분사구문으로 나타낸 것이므로 providing이 알맞다.
ⓒ 「end up+-ing」는 '결국 ~하다'의 의미를 가지는 관용 표현으로 being이 알맞다.
해석　ⓐ, ⓑ, ⓒ의 각 네모 안에서 어법에 맞는 표현으로 가장 적절한 것은?

3 서술형
정답　Invention, Angry

해설　감자 칩이 화가 난 어떤 주방장에 의해 우연히 발명되었다는 내용의 글이므로 제목은 '화가 난 주방장에 의한 감자 칩의 우연한 발명'이 적절하다.

제대로 독해법

어휘 Level Up
1 ⓗ　2 ⓒ　3 ⓚ　4 ⓑ　5 ⓕ　6 ⓘ　7 ⓔ　8 ⓝ　9 ⓙ
10 ⓙ　11 ⓜ　12 ⓞ　13 ⓓ　14 ⓖ　15 ⓐ

내신 Level Up
정답 ④
해설　감자 칩이 어느 나라에서 만들어졌는지는 본문에 언급되지 않았다.
해석
① 누가 감자 칩을 발명했나?
② 감자 칩은 언제 발명되었나?
③ 최초의 감자 칩은 어떻게 만들어졌나?
④ 감자 칩은 어느 나라에서 만들어졌나?
⑤ 감자 칩은 어떤 이유로 만들어졌나?

구문 Level Up
정답　I can
해설　「as+형용사의 원급(many) English books+as possible」은 「as+형용사의 원급(many) English books+as+주어(I)+can」으로 바꿔 쓸 수 있다.

Day 16 Reading 02

▶ pp.100~101

달콤한 마카롱

지문 분석

❶ The french macaron is a small sandwich cookie with two layers of meringue and a sweet filling in between. ❷ In the 16th century, Italians were said to bring ⓐit to France as a party menu. ❸ At that time, ⓑit rather looked like a small single meringue cookie, which is still made in Italian bakeries today. ❹ ㉠The French macaron was invented by Louis-Ernest Ladurée, a famous patissier. ❺ He developed the two rounded meringues filled with sweet cream, based on traditional macarons. ❻ As soon as ⓒit appeared at the dessert market, ⓓit became famous and spread across the world. ❼ Today, the macaron has its own day — March 20th. ❽ ⓔIt was introduced by Pierre Hermé, a famous French cookie house, to raise money for medical research programs for those with the incurable.

❾ 'Macaron Day' is celebrated all over the world, and macaron shops may provide their customers with free samples.

❿ Remember the date and go eat some delicious sweets on that day!

지문 해석

❶ 프랑스식 마카롱은 두 겹의 머랭과 그 사이에 달콤한 속이 있는 작은 샌드위치 쿠키다. ❷ 16세기에 이탈리아인들이 파티 메뉴로 그것을 프랑스로 가져왔다고 한다. ❸ 그 당시에는 이것은 오히려 작은 한 겹의 머랭 쿠키처럼 보였고, 그것은 오늘날 이탈리아 빵집에서 여전히 만들어지고 있다. ❹ 프랑스식 마카롱은 유명한 제빵사인 루이-어니스트 라뒤레에 의해 발명되었다. ❺ 그는 전통적인 마카롱에 기반해 달콤한 크림으로 가득 찬 두 개의 동그란 머랭을 개발했다. ❻ 이것이 디저트 시장에 등장하자마자, 유명해지며 전 세계로 퍼졌다. ❼ 오늘날에는 마카롱의 날이 있다. 3월 20일이다. ❽ 그것은 난치병 환자들을 위한 의학 연구 프로그램을 위해 돈을 모금하기 위해서 유명한 프랑스 제과점인 피에르 에르메에 의해 도입되었다. ❾ '마카롱의 날'은 전 세계에서 기념되며, 마카롱 가게는 손님들에게 무료 시식을 제공한다. ❿ 날짜를 기억해서 그날 맛있는 디저트를 먹으러 가자!

정답인 이유

1 지칭 추론
정답 ⑤

해설 ⓐ~ⓓ는 모두 마카롱을 지칭하는데, ⓔ는 마카롱의 날인 3월 20일을 지칭한다.

2 제목 추론
정답 ②

해설 이 글은 프랑스식 마카롱의 역사와 프랑스 제과점에 의해 시작된 '마카롱의 날'의 유래를 설명하고 있다. 이 내용을 전부 포괄할 수 있는 제목은 ② '프랑스식 마카롱의 역사'이다.

해석 이 글의 제목으로 가장 적절한 것은?
① '마카롱의 날'을 기념하는 방법
② 프랑스식 마카롱의 역사
③ 마카롱을 디저트로 먹는 이유
④ 이탈리아식 마카롱과 프랑스식 마카롱의 비교
⑤ 왜 프랑스식 마카롱이 전 세계적으로 인기가 있을까?

3 서술형
정답 (1) a small single meringue cookie
(2) a small sandwich cookie with two layers of meringue and a sweet filling in between

해석 (1) ❸에 이탈리아식 마카롱의 모양이 잘 나타나 있다.
(2) 첫 번째 문장에 프랑스식 마카롱의 모양이 잘 나타나 있다. 또는 ❺에 나온 the two rounded meringues filled with sweet cream도 정답으로 인정한다.

제대로 독해법

어휘 Level Up
1ⓜ 2ⓙ 3ⓗ 4ⓕ 5ⓞ 6ⓑ 7ⓘ 8ⓐ 9ⓖ
10ⓒ 11ⓘ 12ⓓ 13ⓚ 14ⓔ 15ⓝ

내신 Level Up
정답 Louis-Ernest Ladurée invented the French macaron.
해석 「주어＋동사＋목적어」의 3형식 문장은 「주어(능동태의 목적어)＋be동사＋p.p.＋by＋행위자(능동태의 주어)」 형태의 수동태로 바꿔 쓸 수 있다.

구문 Level Up
정답 to be, was said
해설 say(said)의 목적어가 that절인 경우
① that절의 주어 the car를 주어로 하는 경우: that절의 동사(was)를 to부정사(to be)로 바꾼다.
② 가주어 It이 문장 앞에 오는 경우: 「It is[was] said that＋주어＋동사 ~」

어휘 테스트
▶ p.102

Ⓐ 1 firewood 2 hunt 3 wheat 4 stared
5 bored 6 sliced

Ⓑ 1ⓐ 2ⓒ 3ⓑ
해석 1 예측하다 2 굴, 구멍 3 시도하다
ⓐ 미래에 일어날 사건이나 행동을 말하다
ⓑ 무언가, 특히 어려운 것을 하려고 하다
ⓒ 토끼와 같은 동물에 의해 파여진 땅속 구멍

9 Chapter

Technology

Day 17 Reading 01

▶ pp.106~107

내 얼굴에 다 있다?

지문 분석

❶ Imagine [you are walking down the street and a stranger
(Imagine의 목적어절을 이끄는 접속사 that 생략)
snaps your photo with his smartphone]. ❷ He uses a facial

recognition app and within minutes, he knows your name, age,
　　　　　　　　　　　　　　　전 ~ 안에[이내에]
job, and, what's more, where you were born. ❸ (ⓐ) Do you
　　　　　게다가　　　간접의문문(의문사＋주어＋동사)
think ㉠[it's a scene from a movie]? ❹ Think again. ❺ It's possible.
(think의 목적어절을 이끄는 접속사 that 생략)
❻ Computers are beginning to recognize faces. ❼ (ⓑ)
　　　　　현재진행시제(be동사＋-ing)　　= recognizing
[What recognition systems measure] is things like the size and
└ 관계대명사절(주어)　　　　　　　　　전 ~와 같은
position of a nose and the distance between the eyes. ❽ (ⓒ)

The software compares many images to identify the person.
　　　　　　　　　　　　　　　　to부정사(~하기 위해서)
❾ Facial recognition programs are used in police and security
　　　　　　　　　　　　　　수동태(be동사＋p.p.)
operations. ❿ (ⓓ) But, they are increasingly popular in
　　　　　　　　　　　　= facial recognition programs
other uses, including social media sites. ⓫ Many individuals
　　　　　　전 ~을 포함하여
share a tremendous amount of information about themselves
　　　　　　　　　　　　　　　　　　전 ~에 대한
online. ⓬ As facial recognition software improves, (A) 이러한 개
　　　　　전 ~함에 따라(비례)
인적인 정보를 당신과 연결하는 것이 쉬워질 것이다 just by taking your
　　　　　　　　　　　　　　　　　　by＋-ing: ~함으로써
photo. ⓭ (ⓔ In this way, facial recognition software threatens

people's privacy.)

지문 해석

❶ 당신이 거리를 걸어가고 있는데 어떤 낯선 사람이 스마트폰으로 당신을
찍는다고 상상해보라. ❷ 그는 얼굴 인식 앱을 사용해서 몇 분 안에 당신의
이름, 나이, 직업, 게다가 당신이 어디에서 태어났는지까지 알게 된다. ❸ 당
신은 이것이 영화의 한 장면이라고 생각하는가? ❹ 다시 생각해보라. ❺ 이
것은 가능한 일이다. ❻ 컴퓨터가 얼굴을 인식하기 시작하고 있다. ❼ (얼굴)
인식 시스템이 측정하는 것은 코의 크기와 위치 그리고 눈 사이의 거리와 같
은 것들이다. ❽ 이 소프트웨어는 사람을 확인하기 위해 많은 사진들을 비교
한다. ❾ 얼굴 인식 프로그램들은 경찰과 보안 업체에서 사용된다. ❿ 하지
만 그것들은 소셜 미디어 사이트를 포함하여 다른 용도로도 점점 인기를 얻
고 있다. ⓫ 많은 사람들이 온라인으로 자신들에 대한 엄청난 양의 정보를 공

유하고 있다. ⓬ 얼굴 인식 소프트웨어가 향상됨에 따라, 단지 당신의 사진을
찍는 것만으로도 이러한 개인적인 정보를 당신과 연결하는 것이 쉬워질 것이
다. ⓭ 이런 방법으로 얼굴 인식 소프트웨어는 사람들의 사생활을 위협한다.

정답인 이유 ✏

1 내용 일치

정답 ④

해설 ❾~❿에서 얼굴 인식 프로그램은 경찰이나 보안 업체뿐 아니라
소셜 미디어 사이트를 포함하는 다른 용도로도 인기를 얻고 있다고 했
으므로 ④는 내용과 일치하지 않는다.

2 문장 삽입

정답 ⑤

해설 In this way로 보아 주어진 문장 앞에는 얼굴 인식 소프트웨어
가 사람들의 사생활을 위협하는 구체적인 방법이 제시되어야 하므로
ⓔ에 들어가는 것이 가장 적절하다.

해석 주어진 문장이 들어가기에 가장 적절한 곳은?
이런 방법으로 얼굴 인식 소프트웨어는 사람들의 사생활을 위협한다.

3 서술형

정답 it will be easier to link this personal information to you

해설 주어진 단어들을 모두 사용해야 하므로 가주어-진주어 구문으
로 표현해야 한다.

제대로 독해법

어휘 Level Up

1ⓞ　2ⓑ　3ⓘ　4ⓜ　5ⓗ　6ⓚ　7ⓐ　8ⓒ　9ⓝ
10ⓛ　11ⓕ　12ⓔ　13ⓖ　14ⓙ　15ⓓ

내신 Level Up

정답 얼굴 인식 앱을 사용해서 몇 분 안에 당신의 이름, 나이, 직업, 어디에
서 태어났는지까지 알게 되는 것

해설 it은 바로 앞 문장(He uses ~ you were born.)의 내용을 가리킨다.

구문 Level Up

정답 1. 그녀가 말하고 있을 때 2. 나는 고기를 좋아하지 않기 때문에
해설

1. 문맥상 as는 '~할 때(시간)'의 뜻으로 '그녀가 말하고 있을 때'로 해석하는 것
이 적절하다.

2. 문맥상 As는 '~ 때문에(이유)'의 뜻으로 '나는 고기를 좋아하지 않기 때문
에'로 해석하는 것이 적절하다.

영화 스토리를 직접 선택할 수 있는 세상

지문 분석

❶ Have you ever been annoyed or disappointed by the ending
　현재완료(경험) 의문문(Have/Has+주어+p.p.~?): ~해본 적이 있나요?　전 ~으로(원인)

in the movies [you watched]? ❷ In the near future, you won't.
　선행사 ↑　└ 관계대명사절(목적격 관계대명사 that 생략)

❸ The use of interaction technology devices (A) give/gives us
　　주어　　　　　　전치사구　　　　　　　　　동사

a great ability to decide the flow of the movie. ❹ Traditionally,
　　↑　└ to부정사(a great ability 수식)　　　　　　부 전통적으로

the audience couldn't take part in the story development.
　　　　　　　　～에 참여하다

❺ ⓐHowever, the story can be selected and changed thanks to
　　　　　　조동사가 있는 수동태(조동사+be+p.p.)　～ 덕분에

Internet technology. ❻ ⓑThis entertaining system also makes

(B) it/that possible for viewers [to become the main character
　가목적어 it　　　　　　　의미상 주어 └ 진주어(to부정사구)

in a movie with a first-person experience]. ❼ ⓒFor example, if

you (C) are/were a girl [who is asked out by her friend], you
　　　　　관계대명사절(주격)┘　～에게 데이트 신청을 받다

would accept or reject it by interacting with the screen. ❽ ⓓ
　　　　　　　　　　　by+-ing: ~함으로써

Some people may be confused because they cannot distinguish
　　　　　　　　　　　　　　접 ~ 때문에

between virtual reality and reality. ❾ ⓔI believe [that this
distinguish between A and B: A와 B를 구별하다 명사절(believe의 목적어)┘

approach would allow the movie industry to explore new
　　　　　　　　allow+목적어+to부정사: (목적어)가 ~하게 (허락)하다

genres and please the audience more].
　　　　　✕
　　　　　(to)

지문 해석

❶ 당신이 본 영화의 엔딩으로 짜증나거나 실망한 적이 있는가? ❷ 가까운 미래에, 당신은 그런 일이 없을 것이다. ❸ 상호 작용 기술 기기의 사용이 영화의 흐름을 결정하는 엄청난 능력을 우리에게 준다. ❹ 전통적으로, 관객은 이야기 전개에 참여할 수 없었다. ❺ 그러나, 인터넷 기술 덕분에 이야기는 선택되고 변화될 수 있다. ❻ 이 재미있는 시스템은 또한 관객들이 1인칭 경험과 함께 영화에서 주인공이 되는 것을 가능하게 해준다. ❼ 예를 들어, 당신이 친구에게 데이트 신청을 받은 소녀라면, 당신은 화면과 상호 작용함으로써 이것을 받아들이거나 거절할 수 있다. ❽ (일부 사람들은 가상현실과 현실을 구별 못하기 때문에 혼란스러워할 수 있다.) ❾ 나는 이러한 접근법이 영화 산업이 새로운 장르를 탐색하고 관객을 더 기쁘게 해줄 거라고 믿는다.

정답인 이유

1 무관한 문장

정답　④

해설　상호 작용 기술의 기능과 앞으로의 전망에 대한 글로 ⓓ는 가상현실과 현실을 구분 못해 혼란을 겪는다는 내용으로 전체 흐름과 관련이 없다.

2 어법성 판단

정답　①

해설

(A) 주어(the use)가 단수이므로 3인칭 단수 형태의 동사인 gives가 와야 한다.

(B) 「가목적어-진목적어」 형태로 가목적어 it이 와야 한다.

(C) 주절에 「would+동사원형」이 쓰였으므로 가정법 과거 문장임을 알 수 있다. 가정법 과거 문장의 If절에서 be동사는 were가 와야 한다.

해석　(A), (B), (C)의 각 네모 안에서 어법에 맞는 표현으로 가장 적절한 것은?

3 서술형

정답　(1) select (2) change (3) the main character

해설

(1), (2) 영화의 내용을 바꾸거나 선택할 수 있다는 내용이 와야 하므로, select와 change가 빈칸에 알맞다.

(3) 1인칭 경험과 함께 영화 속에서 '주인공'이 될 수 있다고 했으므로 주인공이라는 뜻의 '(the) main character'가 빈칸에 알맞다.

해석　영화의 상호 작용 기술 덕분에 관객들이 영화의 이야기를 선택하고 바꿀 수 있다. 그들은 또한 1인칭 경험과 함께 영화 속에서 주인공이 될 수 있다.

제대로 독해법

어휘 Level Up

1 ⓐ　2 ⓕ　3 ⓝ　4 ⓔ　5 ⓚ　6 ⓓ　7 ⓗ　8 ⓞ　9 ⓘ

10 ⓟ　11 ⓜ　12 ⓒ　13 ⓖ　14 ⓠ　15 ⓑ　16 ⓛ　17 ⓙ

내신 Level Up

정답

(1) 관객이 영화의 흐름을 결정한다. (관객이 이야기 전개에 참여할 수 있다.)

(2) 관객이 1인칭 경험을 할 수 있다. (관객이 영화의 주인공이 될 수 있다.)

해설　영화에 상호 작용 기술 기기를 사용함으로써 관객은 이야기 전개에 참여하여 영화의 흐름을 결정할 수 있고, 1인칭 경험과 함께 영화에서 주인공이 되는 것을 가능하게 해준다.

구문 Level Up

정답　knew

해설　주절이 「주어(I)+조동사의 과거형(would)+동사원형(send)」 형태의 가정법 과거로 if절에 동사의 과거형(knew)이 와야 한다.

블루투스 이어폰이 건강을 해친다?

지문 분석

❶ Experts recommend people to reduce their use of bluetooth
<u>recommend A to부정사: A에게 ~하라고 권(고)하다</u>
earphones. ❷ Some argue [that a long-term use of bluetooth
└명사절(argue의 목적어)
devices would possibly (A) benefit / harm our health].
(뿐) 아마(문장 전체 수식)
❸ Then, how serious is this? ❹ If you use a smartphone every
(웹) ~라면
day, it is (B) natural / strange to worry about the risk of these
가주어 └진주어(to부정사구)
earphones]. ❺ Bluetooth devices are believed to give off 90%
= It is believed that Bluetooth devices give off
less radiation than smartphones. ❻ That is, if you use them for
less than : 열등비교(~보다 덜) 즉 (웹) ~라면
phone conversation, you get much less influence than holding
비교급 강조 less than : 열등비교(~보다 덜)
the phone up to your head. ❼ Of course, if you use them
하루에(a = per) (웹) ~라면
for hours a day to listen to music, the influence gets (C)
to부정사(~하기 위해서) get+비교급: 더 ~해지다
stronger / weaker. ❽ If you are still cautious about the harmful
(웹) ~라면
effect, you may remove them from your ears when not in use.
(웹) ~할 때
❾ Or more simply, you can change wireless earphones into
wired ones.
change A into B: A를 B로 바꾸다

지문 해석

❶ 전문가들은 사람들에게 블루투스 이어폰 사용을 줄이라고 권고한다.
❷ 일부는 블루투스 기기의 장기적인 사용이 아마도 우리의 건강을 해칠 것이라고 주장한다. ❸ 그러면, 이것은 얼마나 심각한 것일까? ❹ 당신이 스마트폰을 매일 사용한다면, 이런 이어폰의 위험에 대해 걱정하는 것은 이상할 것이다. ❺ 블루투스 기기는 스마트폰보다 90% 더 적은 방사선을 내뿜는다고 믿어진다. ❻ 즉, 전화 통화를 위해 그것들(블루투스 기기)을 사용한다면, 당신은 (스마트)폰을 당신의 머리에 대고 있는 것보다 훨씬 더 적은 영향을 받는다. ❼ 물론 음악을 듣기 위해 하루에 여러 시간 동안 그것들(블루투스 기기)을 사용한다면 그 영향은 더 커진다. ❽ 당신이 해로운 영향에 대해 여전히 조심스러워한다면, 당신은 사용하지 않을 때는 당신의 귀에서 빼면 된다. ❾ 혹은 더 단순하게는, 무선 이어폰을 유선 이어폰으로 바꾸면 된다.

정답인 이유

1 빈칸 추론
정답 ③
해설 블루투스 기기를 사용하는 것보다 우리 몸에 더 큰 영향을 미치는 내용이 빈칸에 들어가야 한다. 본문의 내용을 미루어 볼 때 ③ '(스마트)폰을 당신의 머리에 대고 있는 것'이 블루투스 기기 사용보다 더 큰 영향을 미친다고 볼 수 있기 때문에 빈칸에 가장 적절하다.

해석
① 다른 사람과 직접 이야기하는 것
② 집에서 유선 전화를 사용하는 것
③ (스마트)폰을 당신의 머리에 대고 있는 것
④ 전화를 위해 유선 이어폰을 사용하는 것
⑤ (스마트)폰을 스피커폰 모드로 사용하는 것

2 어휘 파악
정답 ④
해설
(A) 뒤에 나오는 'how serious is this?'라는 질문으로 봤을 때, 부정적인 의미의 harm(해치다)이 적절하다.
(B) 문맥상 뒤에 나오는 스마트폰을 직접 사용하는 것보다 블루투스를 사용하는 것이 훨씬 더 적은 영향을 받는다는 내용으로 보아 걱정하는 것이 이상하다는 뜻의 'strange'가 적절하다.
(C) 문맥상 블루투스 기기를 오래 쓸수록 영향이 더 커지므로 stronger가 적절하다.
해석 (A), (B), (C)의 각 네모 안에서 문맥에 맞는 낱말로 가장 적절한 것은?

3 서술형
정답
(1) remove them from your ears when not in use
(2) change wireless earphones into wired ones
해설 마지막 두 문장에 블루투스 이어폰이 미치는 나쁜 영향을 줄이는 방법이 나와 있다. 첫 번째는 사용하지 않을 때 빼 놓는 것이고, 두 번째는 무선보다 유선 이어폰을 사용하는 것이다.

제대로 독해법

어휘 Level Up
1 ⓔ   2 ⓙ   3 ⓚ   4 ⓐ   5 ⓘ   6 ⓑ   7 ⓖ   8 ⓛ   9 ⓕ
10 ⓓ   11 ⓒ   12 ⓗ   13 ⓓ   14 ⓝ   15 ⓜ

내신 Level Up
정답 give off
해설 '열, 빛, 냄새, 가스를 배출하다'라는 뜻을 갖는 단어는 give off(뿜어내다)이다.

구문 Level Up
정답 more, than
해설 「more + money(명사) + than」의 형태로 '~보다 더 많은 돈'을 의미한다.

Day **18** Reading 02

▸ pp.112~113

상상이 현실이 되다

지문 분석

❶ Since the 1970s, scientists have been searching for ways
전 ~이후로 ┃ 현재완료진행시제(have/has been+-ing)
to link the human brain with computers. ❷ Brain Computer
┗ to부정사(ways 수식)
Interface could help people with disabilities send commands
장애가 있는 사람들 = to send
to machines. ❸ ⓐ[What researchers have recently designed] is
선행사를 포함하는 관계대명사 ┃ 현재완료시제(have+p.p)
a special cap. ❹ ⓑThis head cover captures the signals from
주어 ┃ 동사1
the scalp [and] redirects them to a computer. ❺ The computer
동사2 ┃ 주어
interprets the signals [and] controls a motorized wheelchair.
동사1 ┃ 동사2
❻ The wheelchair also has two cameras [that identify objects in
선행사 ↑ 관계대명사절(주격)
its path]. ❼ ⓒThey help the computer react to commands from
help+목적어+(to) 동사원형: (목적어)가 ~하는 것을 돕다
the brain. ❽ ⓓThe human brain is more complex than any
비교급+than: ~보다 더 …한
other known structure in the universe. ❾ [Trying to bring this
┗ 분사구문(~하면서)
technology out of the lab], they have set two goals. ❿ ⓔThe
현재완료(have/has+p.p.)
first goal is testing with real patients, so as to demonstrate this
동명사(보어) ~하기 위해서
is a technology from which they can benefit. ⓫ And the second
전치사+관계대명사
is to guarantee [they can use the technology over long periods
to부정사(보어) ↑ (guarantee의 목적어절을 이끄는 접속사 that 생략)
of time].

지문 해석

❶ 1970년대 이후로 과학자들은 인간의 뇌를 컴퓨터와 연결시키는 방법을 찾고 있다. ❷ 뇌-컴퓨터 인터페이스는 장애가 있는 사람들이 기계에 명령을 보낼 수 있게 도울 것이다. ❸ 연구원들이 최근에 고안한 것은 특수 모자이다. ❹ 이 머리 덮개가 두피에서 받은 신호들을 포착하여 그것들을 컴퓨터로 다시 보낸다. ❺ 컴퓨터가 그 신호들을 해석하여 전동 휠체어를 제어한다. ❻ 또한 휠체어에는 가는 길에 있는 물체들을 확인하는 두 개의 카메라가 있다. ❼ 그것들은(카메라들은) 뇌로부터 받은 명령에 컴퓨터가 반응하게 도와준다. ❽ (인간의 뇌는 우주의 다른 어떤 알려진 구조보다 더 복잡하다.) ❾ 이 기술을 실험실 밖으로 가지고 나오려는 노력을 하면서, 그들은 두 가지 목표를 세웠다. ❿ 첫 번째 목표는 이것이 실제 환자들이 이익을 얻을 수 있는 기술이라는 것을 입증하기 위해 실제 환자들을 대상으로 실험하는 것이다. ⓫ 그리고 두 번째는 그들이(실제 환자들이) 그 기술을 장기간에 걸쳐 사용할 수 있는 것을 보증하는 것이다.

정답인 이유 ✏️

1 제목 추론

정답 ⑤

해설 뇌-컴퓨터 인터페이스 기술을 소개하고 그 기술을 사용하기 위한 노력에 대한 내용이므로 ⑤가 정답이다.

해석
① 인간을 위한 기술의 필요성
② 컴퓨터 소프트웨어의 품질
③ 실험실 밖으로 기술을 가지고 나오는 것의 어려움
④ 장애가 있는 사람들의 치료 가능성
⑤ 뇌-컴퓨터 인터페이스 기술과 사용

2 무관한 문장

정답 ④

해설 뇌-컴퓨터 인터페이스 기술을 설명하는 내용의 글로 뇌 구조가 복잡하다는 내용의 ⓓ는 전체 흐름과 관계가 없다.

해석 ⓐ~ⓔ 중에서 글의 전체 흐름과 관계없는 문장은?

3 서술형

정답
(1) 실제 환자들에게 실험하기
(2) 환자들이 기술을 장기간 사용할 수 있는 것을 보증하기

해설 마지막 두 문장에 기술의 상용화를 위한 과학자들의 두 가지 목표가 잘 나타나 있다. '실제 환자', '장기간 사용'과 유사한 의미이면 정답으로 인정한다.

제대로 독해법

어휘 Level Up

1 ⓕ 2 ⓒ 3 ⓞ 4 ⓔ 5 ⓑ 6 ⓘ 7 ⓙ 8 ⓗ 9 ⓛ
10 ⓜ 11 ⓝ 12 ⓚ 13 ⓓ 14 ⓐ 15 ⓖ

내신 Level Up

정답 (1) scalp (2) signals (3) controls

해설 특수 모자가 두피에서 받은 신호들을 포착하여 그것들을 컴퓨터로 다시 보내고, 컴퓨터가 그 신호들을 해석하여 전동 휠체어를 제어한다.

구문 Level Up

정답 have been running

해설 현재완료진행은 「have/has+been+-ing」의 형태이고 주어가 I이므로 have been running이 알맞다.

어휘 테스트

▸ p.114

Ⓐ 1 compares 2 security 3 virtual reality
   4 explore 5 wireless 6 path

Ⓑ 1 ⓑ 2 ⓐ 3 ⓒ
해석 1 사진을 찍다 2 구별하다 3 유선의
ⓐ 두 개 이상의 사물 또는 사람의 차이를 알거나 이해하다
ⓑ 빠르게 사진을 찍다
ⓒ 컴퓨터 또는 다른 기기가 선으로 연결된

World

Day 19 Reading 01

▶ pp.118~119

노트르담 대성당 화재 사건

지문 분석

= 850 years old
❶ The 850-year-old Notre Dame Cathedral, the masterpiece of
   ‾‾‾‾‾‾‾‾‾‾‾‾ 동격
Gothic building structure, was burnt down all of a sudden.
                         수동태(be동사+p.p.)   갑자기

(B) ❷ ⓐThe fire started one evening, shortly before the
        ‾‾‾ 동사1   직전에(↔ shortly after: 직후에)
cathedral closed and grew fast by wind. ❸ ⓑThe
              ‾‾‾ 동사2
construction site next to the building was suspected as
공사장   ~옆에   수동태(be동사+p.p.) 젠 ~로서
the starting point. ❹ However, the fire was actually in the
발화점   주어1 동사1
attic and the guard at first reported [that there was no
      ‾‾‾ 주어2   동사2   명사절(reported의 목적어)
fire], [wasting precious time]. ❺ The police said [that the fire-
    분사구문(= and he wasted ~)   명사절
prevention safeguards hadn't worked well].   (said의 목적어)

(A) ❻ Firewalls and sprinkler systems were missing from the
                                    혭 빠진, 누락된
attic, because they were not allowed there to preserve its
   젭 ~ 때문에(이유) 수동태 부정형(be동사+not+p.p.) to부정사(~하기 위해서)
original design. ❼ Fortunately, the firefighters successfully

put out the fire within hours, and a third of the building
                         분수 표현(⅓): 기수(분자)+서수(분모)
still remains.
       분수 of 명사 → 명사에 수일치

(C) ❽ ⓒThe president of France promised to rebuild the
        (to)   promise+to부정사(목적어)
landmark and make up for its weak point. ❾ ⓓThe
         ‾‾‾ ~을 보완하다   약점
more that remains, the easier the reconstruction is.
The 비교급(+주어+동사), the 비교급(+주어+동사): ~할수록 점점 더 …하다
❿ ⓔDonations have been brought in from millionaires and
              현재완료 수동태(have/has been+p.p.)
charity groups all over the world to rebuild the invaluable
            전 세계   to부정사(~하기 위해서)
heritage.

지문 해석

❶ 고딕 양식 건축물의 걸작인 850년 된 노트르담 대성당이 갑자기 불에 타
버렸다. (B) ❷ 불은 성당이 문을 닫기 직전인 어느 저녁에 시작되었고, 바람
에 의해 빨리 번졌다. ❸ 건물 옆의 공사장이 발화점으로 추측되었다. ❹ 하
지만 실제로 화재는 다락방에서 있었고 처음에는 경비원이 화재가 없었다고

보고해 귀중한 시간을 낭비했다. ❺ 경찰은 화재 예방 안전장치가 잘 작동하
지 않았다고 말했다. (A) ❻ 방화벽과 스프링클러 시스템이 다락방에서 빠져
있었는데, 그것(대성당)의 본래 디자인을 보존하기 위해 허용되지 않았기 때
문이다. ❼ 다행스럽게도, 소방관들이 몇 시간 안에 성공적으로 불을 껐고,
건물의 3분의 1이 여전히 남아 있다. (C) ❽ 프랑스 대통령은 이 명소를 재건
하고 약점을 보완하기로 약속했다. ❾ (많이 남아 있을수록, 재건이 더 쉬워
진다.) ❿ 이 귀중한 유산을 재건하기 위해 전 세계 백만장자와 자선 단체로
부터 기부금이 전달되었다.

정답인 이유 ✏

1 무관한 문장

정답 ④

해설 ⓓ '많이 남아 있을수록, 재건축이 더 쉬워진다.'는 재건축의 난
이도와 관련된 내용으로 프랑스 대통령이 노트르담 대성당을 재건하기
로 약속했다는 내용의 ⓒ와 재건을 위한 기부금이 전 세계 백만장자와
자선 단체로 전달되었다는 내용의 ⓔ 사이에 오는 것은 어색하다.

2 순서 파악

정답 ②

해설 노트르담 대성당이 불에 탔다는 내용의 주어진 글 다음에 화재
의 시작과 확산에 관한 내용인 (B)가 오고, 그 다음으로 화재 예방 안전
장치가 빠져 있었다는 내용과 성공적으로 불을 껐다는 내용의 (A), 그
리고 재건에 대한 대통령의 약속과 기부금 소식이 나오는 (C)가 마지막
에 오는 것이 가장 자연스럽다.

해석 이 글의 순서로 가장 적절한 것은?

3 서술형

정답 성당의 본래 디자인을 보존하기 위해 허용되지 않았기 때문에

해설 (A)에서 성당의 본래 디자인을 보존하기 위해 다락방에 화재 예
방 안전장치가 허용되지 않았다는 것을 알 수 있다.

제대로 독해법

어휘 Level Up

1ⓑ 2ⓘ 3ⓟ 4ⓐ 5ⓙ 6ⓕ 7ⓘ 8ⓝ 9ⓓ
10ⓠ 11ⓚ 12ⓞ 13ⓜ 14ⓔ 15ⓒ 16ⓗ 17ⓖ

내신 Level Up

정답 (1) T (2) F (3) F

해석
(2) 디자인 보존 때문에 방화벽과 스프링클러 시스템을 다락방에 설치하지
    못했다.
(3) 건물의 3분의 1이 남았다.

구문 Level Up

정답 The longer, the more

해설 「As+she(주어)+stayed(동사)~+longer(비교급), she(주
어)+missed(동사)~+more(비교급)」 문장은 「The longer ~, the more …」
형태로 바꿔 쓸 수 있다.

정답과 해설 **37**

친환경 섬, 하와이 라나이

지문 분석

❶ Lanai is the sixth biggest island in Hawaii and has only about
동사1 the+서수+최상급: ~번째로 …한   동사2
3,000 population. ❷ ㉠관광객들이 이 섬을 방문하는 데 오랜

시간이 걸린다. ❸ So it is (A) considering / considered a good

place to hide from the world. ❹ However, it is not only meant
          to부정사(a good place 수식)
to be a hideaway but it is quite attractive. ❺ Full of beautiful
mean+to부정사(목적어)   ~으로 가득 찬
landscapes with emerald-colored ocean, the island proudly
                 에메랄드빛의
presents untouched nature itself. ❻ Actually, it is sometimes
                        재귀대명사(강조 용법, 생략 가능)   빈도부사(때때로)
called "Dream Island." ❼ That's why Bill Gates, one of the richest
                그것이 ~한 이유이다
(B) man / men ever, had a private wedding ceremony here.
one of the 최상급+복수명사: 가장 ~한 것들 중의 하나
❽ Recently, Larry Ellison, the rich man [who inspired the
                         선행사   관계대명사절(주격)
character of Tony Stark, *Iron Man*,] bought 98 percent of

this island to make a true paradise. ❾ He is trying to change
           to부정사(~하기 위해서)   try+to부정사: ~하려고 노력하다
it to generate more fresh water for eco-friendly farms and

(C) allow / allows only electric cars all over the island. ❿ If
   (to) to부정사의 병렬구조   섬 전체에   접 ~라면(조건)
his plan comes true, this place will become a role model of
                                조건 부사절에서는 현재시제가
sustainable development.   미래를 나타냄

지문 해석

❶ 라나이는 하와이에서 여섯 번째로 큰 섬이며, 약 3천 명 정도의 인구만이
있다. ❷ 관광객들이 이 섬을 방문하는 데 오랜 시간이 걸린다. ❸ 그래서 그
곳은 세상에서 숨기 좋은 장소라고 여겨진다. ❹ 그러나, 그곳은 은신처가 되
는 것을 의미할뿐만 아니라 아주 매력적이다. ❺ 에메랄드빛의 바다와 함께
아름다운 풍경으로 가득 차 있어, 그 섬은 본래 그대로의 자연을 스스로 자랑
스럽게 보여준다. ❻ 사실, 그 섬은 때때로 '꿈의 섬'이라고 불린다. ❼ 그것이
가장 부유한 사람들 중 한 명인 빌 게이츠가 개인 결혼식을 여기서 한 이유이
다. ❽ 최근에는 〈아이언 맨〉에서 토니 스타크 캐릭터에 영감을 준 부자, 래
리 엘리슨이 이 섬의 98퍼센트를 진짜 천국을 만들기 위해 샀다. ❾ 그는 친
환경적인 농장을 위해 담수를 더 많이 만들어 내고 섬 전체에 전기 차만 허락
하도록 이곳을 변화시키려고 노력하고 있다. ❿ 그의 계획이 실현되면, 이 장
소는 (환경을 파괴하지 않고) 지속 가능한 개발의 모범 사례가 될 것이다.

정답인 이유

1 어법성 판단

정답 ④

해설

(A) '여겨지는'이라는 수동의 의미이므로 considered가 온다.

(B) 「one of+the 최상급+복수명사」 형태로 men이 온다.

(C) to generate와 대등하게 연결되는 것이 의미상 가장 자연스러우므
로 (to) allow가 온다.

2 요약문 완성

정답 ④

해설 전체 글의 내용은 라나이 섬은 멀지만 매력적인 장소이고 한 부
자(래리 엘리슨)가 이곳을 지속 가능한 기술을 갖춘 장소로 바꾸고 싶
어 하며, 그것이 실현된다면 환경을 파괴하지 않고 지속 가능한 개발의
모범 사례가 될 수 있다는 것이다.

해설 라나이 섬은 대부분의 관광객에게 멀지만 매력적인 장소이며,
한 부자가 이곳을 지속 가능한 개발을 갖춘 장소로 바꾸고 싶어 한다.
이 글의 내용과 일치하도록 빈칸 (A), (B)에 들어갈 말로 가장 적절한
것은?

① 매력적이지 않은 ---- 관광명소
② 매력적이지 않은 ---- 더 나은 교통
③ 매력적인 ---- 발전된 경제
④ 매력적인 ---- 지속 가능한 개발
⑤ 숨겨진 ---- 유명한 장소

3 서술형

정답 It takes a very long time for tourists to visit this island.

해설 「It takes+시간+for 의미상 주어+to부정사」: (의미상 주어)가
~하는 데 (시간)이 걸리다

제대로 독해법

어휘 Level Up

1 ⓗ 2 ⓐ 3 ⓜ 4 ⓕ 5 ⓚ 6 ⓘ 7 ⓝ 8 ⓙ 9 ⓔ
10 ⓖ 11 ⓓ 12 ⓒ 13 ⓛ 14 ⓑ

내신 Level Up

정답 sustainable

해설 '환경에 적게 또는 전혀 피해를 주지 않아서 장기간 계속 할 수 있는'
이라는 뜻을 가진 단어는 sustainable(지속 가능한)이다.

구문 Level Up

정답 do your best

해설 조건 부사절에서는 현재시제가 미래를 나타내므로 do를 써야 한다.
will do로 쓰지 않도록 주의한다.

▶ pp.120~121

코끼리의 날

지문 분석

❶ March 13th is a very special day in Thailand. ❷ It is called
_{수동태(be동사+p.p.)}
"National Elephant Day." ❸ On this day, a big festival for
_{주어1}
elephants takes place and the animals are treated like royalty.
_{동사1}   _{주어2}   _{동사2(수동태)} _{젠 ~처럼}
❹ First, they are well-dressed. ❺ Then they are blessed with
_{혱 잘 차려 입은}
holy water by a professional elephant trainer. ❻ (ⓐ) They

are also served a lot of delicious food, such as bananas, melons,
_{많은(= lots of)}   _{~와 같은(= like)}
and pineapples. ❼ (ⓑ) This event is held for a whole week.
_{열리다}
❽ (ⓒ) During the event, people in Thailand show all their
_{during+기간: ~ 동안}   _{주어}   _{동사 목적어}
respects to the elephants. ❾ (ⓓ In fact, this event was begun
_{젠 ~에게}
to draw public attention to the elephants in danger.) ❿ The

number of elephants in Thailand has decreased from over
the number of+복수명사: ~의 수(단수 취급)   현재완료시제(have/has+p.p.)
100,000 to just 3,000~4,000. ⓫ (ⓔ) It resulted from the
_{result from: ~의 결과로 생기다[유래하다]}
destruction of their natural habitat and illegal poaching. ⓬ The
_{주어}
conservation of elephants and their habitat is needed, so the
_{전치사구}   _{동사}
event was started.

지문 해석

❶ 3월 13일은 태국에서 매우 특별한 날이다. ❷ 그것은 '전국 코끼리의 날'이
라고 불린다. ❸ 이 날에는 코끼리들을 위한 큰 축제가 열리고 그 동물들은 왕
족처럼 대우 받는다. ❹ 먼저 그들(코끼리들)은 잘 차려 입혀진다. ❺ 그러고
나서 그들은 전문 코끼리 조련사에 의해 성수로 축복을 받는다. ❻ 그들은 또
한 바나나, 멜론, 파인애플과 같은 많은 맛있는 음식을 제공받는다. ❼ 이 행
사는 일주일 내내 열린다. ❽ 그 행사 동안 태국 사람들은 코끼리에 대한 그들
의 존경심을 모두 보여준다. ❾ <u>사실 이 행사는 위험에 처한 코끼리들에 대한
대중의 관심을 끌기 위해 시작되었다.</u> ❿ 태국의 코끼리의 수는 10만 마리 이
상에서 3~4천 마리로 줄었다. ⓫ 그것은 그들(코끼리들)의 자연 서식지 파괴
와 불법적인 포획의 결과로 생겼다. ⓬ 코끼리들과 그들의 서식지 <u>보존</u>이 필
요해지고, 그래서 그 행사가 시작되었다.

정답인 이유

1 문장 삽입

정답 ④

해설 코끼리의 날에 코끼리가 어떤 대접을 받는지에 대한 내용과 코끼
리의 수가 감소한다는 내용 사이인 ⓓ에 들어가는 것이 가장 적절하다.

해석 사실 이 행사는 위험에 처한 코끼리들에 대한 대중의 관심을 끌
기 위해 시작되었다.

2 빈칸 추론

정답 ⑤

해설 위험에 처한 코끼리들과 서식지를 보존해야 한다는 내용이므로
⑤ 'conservation(보존)'이 적절하다.

해석 빈칸에 들어갈 말로 가장 적절한 것은?
① 관계 ② 첨가 ③ 발명 ④ 파괴 ⑤ 보존

3 서술형

정답 protect

해설 마지막 문장에서 코끼리와 그들의 서식지를 보존하기 위해 전
국 코끼리의 날 행사가 시작되었다고 했으므로 빈칸에는 protect가 적
절하다.

해석
A: 왜 태국에서는 '전국 코끼리의 날'을 기념하는가?
B: 왜냐하면 태국 사람들이 코끼리를 <u>보호</u>하길 원하기 때문이다.

제대로 독해법

어휘 Level Up

1ⓝ 2ⓖ 3ⓜ 4ⓞ 5ⓘ 6ⓐ 7ⓔ 8ⓛ 9ⓟ
10ⓙ 11ⓑ 12ⓚ 13ⓒ 14ⓗ 15ⓓ 16ⓕ

내신 Level Up

정답 ④

해설 ❼(This event is held for a whole week.)에서 코끼리의 날 행사는
일주일 동안 열린다고 했다.

구문 Level Up

정답 is

해설 The number of people(the number of+복수명사)은 단수 취급하
므로 단수동사 is가 알맞다.

세계에서 가장 많이 기울어진 타워는?

지문 분석

❶ Abu Dhabi is one of the wealthiest (A) city / cities in the
one of the+최상급+복수명사: 가장 ~한 것들 중의 하나
world and is known for its modern architectural wonders.
be known for: ~로 잘 알려지다(유명하다)
❷ Here are some of the high-rise buildings to see when you
here+동사+주어 → 도치 구문   to부정사(the high-rise buildings 수식)
travel here. ❸ First is the Capital Gate. ❹ When it comes to a
(~에 대해서) 라면
leaning tower, you might think of the world-famous Leaning
피사의 사탑
Tower of Pisa first. ❺ But now think about the Capital Gate!

❻ This architectural miracle leans an 18 degrees, which means
관계대명사의 계속적 용법
it is about four times more inclined than the Pisa (which only
배수사+비교급+than: ~보다 -배 더 …한
has a 4 degree lean). ❼ This (B) 35-story / 35-stories building
looks like it bends with the desert winds. ❽ Basically, the Capital
~처럼 보이다
Gate is a hotel and is recognized by Guinness World Records as
수동태(be동사+p.p.)   ~로(서)
the world's farthest leaning man-made tower. ❾ Second is the
가장, 최고로
Aldar HQ Building, (C) which / that is the world's first circular
= Headquarter   관계대명사의 계속적 용법
skyscraper. ❿ This commercial office building looks like a huge

shining coin standing vertically in a desert. ⓫ It is a high metal

structure with diagonal grids of steel and got nicknamed the
별명을 얻었다
'coin building.'

지문 해석

❶ 아부다비는 세계의 가장 부유한 도시들 중 하나이며 현대의 건축학적 경
이로운 작품들로 잘 알려져 있다. ❷ 여기 당신이 이곳을 여행할 때 보게 될
고층의 건물들이 있다. ❸ 첫 번째는 캐피털 게이트이다. ❹ 기울어진 타워
라면 당신은 아마도 세계적으로 유명한 피사의 사탑을 먼저 생각할 것이다.
❺ 하지만 이제는 캐피털 게이트를 생각해 보아라! ❻ 이 건축의 기적은 18
도 기울어져 있는데 이것은 피사(단지 4도 경사를 가진)보다 약 4배 정도 더
많이 기울어진 것을 의미한다. ❼ 이 35층 건물은 사막 바람으로 기울어진 것
처럼 보인다. ❽ 기본적으로 캐피털 게이트는 호텔이며 세계에서 가장 많이
기울어진, 사람이 만든 타워로 기네스북에 의해 공인되어 있다. ❾ 두 번째
는 알다르 본사 빌딩인데, 이것은 세계의 첫 번째 둥근 고층 건물이다. ❿ 이
상업적 사무용 빌딩은 사막에 수직으로 서 있는 큰 빛나는 동전처럼 생겼다.
⓫ 이것은 강철 대각선 격자무늬가 있는 높은 금속 건축물이고 '동전 빌딩'이
라는 별명을 얻었다.

정답인 이유

1 내용 일치
정답 ②
해설 캐피털 게이트가 단지 4도 정도 기울어진 피사의 사탑보다 4배
더 기울어졌다고 했으므로 ②는 내용과 일치하지 않는다.

2 어법성 판단
정답 ③
해설
(A)「one of the 최상급+복수명사」 형태로 복수명사 cities가 온다.
(B)「명사+명사」의 형태로 앞의 명사가 뒤의 명사를 수식하는 구조에
서 앞에 오는 명사는 복수 취급하지 않으므로 35-story가 온다.
(C) 콤마(,) 다음에 오는 계속적 용법의 관계대명사 which가 적절하다.
that은 계속적 용법에 쓰이지 않는다.
해석 (A), (B), (C)의 각 네모 안에서 어법에 맞는 표현으로 가장 적절
한 것은?

3 서술형
정답 (1) leaning (2) circular
해설 캐피털 게이트는 기울어진 타워이며, 이것은 피사의 탑과 종종
비교된다. 알다르 본사 빌딩은 둥근 모양으로 유명하고 '동전 빌딩'이
라는 별명을 얻었다.

제대로 독해법

어휘 Level Up
1ⓟ   2ⓐ   3ⓚ   4ⓖ   5ⓘ   6ⓔ   7ⓗ   8ⓑ   9ⓛ
10ⓒ   11ⓓ   12ⓞ   13ⓙ   14ⓝ   15ⓕ   16ⓜ

내신 Level Up
정답 ③
해설 아부다비의 건축학적 경이로운 작품들인 캐피털 게이트와 알다르 본
사 빌딩을 소개하는 글이므로 ③ '아부다비의 놀라운 건축물'이 제목으로 가
장 적절하다.
해석 ① 아부다비의 아름다움   ② 아부다비에 대한 정보
③ 아부다비의 놀라운 건축물들   ④ 건축 구조의 원리
⑤ 현대 건축의 어려움

구문 Level Up
정답 he comes
해설 주어가 대명사(he)이므로 「here+주어+동사」의 형태(he comes)가
알맞다.

어휘 테스트
▸ p.126

Ⓐ 1 attic   2 put out   3 construction
4 Donations   5 Thailand   6 high-rise

Ⓑ 1ⓒ   2ⓑ   3ⓐ
해석 1 인구   2 왕족   3 서식지
ⓐ 동물이나 식물이 보통 사는 자연 환경
ⓑ 왕과 왕비의 가족에 속하는 사람들
ⓒ 어떤 특정한 국가, 지역, 장소에 사는 모든 사람들

READING

적중! 영어 독해

중등 **3**

은하계에서 가장 쉬운 영문법이 나왔다!

중학영문법/고교영문법/고교영어 독해기술
하나하나 알기 쉽게

밥 먹기보다 쉬워요~

〈중학영문법〉Gakken Education Publishing 지음 | 김인아 옮김 | 308쪽 | 17,800원
〈고교영문법〉Gakken Education Publishing · Megumi Tomioka 지음 | 김인아 옮김 | 152쪽 | 13,800원
〈고교영어 독해기술〉Gakken Education Publishing · Kazuya Muto 지음 | 김인아 옮김 | 136쪽 | 13,800원

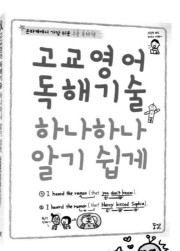

현재완료형은 과거에서부터 이어져 온 지금의 상태를 나타내므로 yesterday(어제), 〈when + 과거 문장〉
등 과거를 나타내는 표현과는 함께 쓰지 않습니다. 현재완료형은 since ~(~ 이래로), for ~(~ 동안)와
같이 기간을 나타내는 표현과 함께 사용합니다.

①과 ②에서 "the rumor that"의 **that**이 '명사 바로 뒤의 that'입니다. 그렇지만 ①과 ②의 that은 각각 역
할이 다릅니다. ①은 관계대명사이고 ②는 접속사입니다. 이 둘을 구분하는 방법은 간단한데, that 뒷부
분에 주목하면 됩니다.
①의 경우 that 뒤에 know의 목적어가 없습니다(①문장의 뜻에 비추어 볼 때, know가 자동사일 가능
성은 없습니다). 즉, that 이하의 문장은 불완전합니다. '명사 + that'이 오고 that 이하가 **불완전한 문장**
인 경우, **이 that은 관계대명사 that**입니다. 관계대명사이므로 ( )로 표시하고 rumor를 수식하도록 번
역합니다.

새 교과서에 맞춘 최신 개정판

적중! 영문법 3300제

문법 개념 정리	+	내신 대비 문제
출제 빈도가 높은 문법 내용을 표로 간결하게 정리		연습 문제+영작 연습+중간·기말 고사 대비+워크북

1. **최신 개정 교육과정 교과서 연계표** (중학 영어 교과서의 문법을 분석)
2. **서술형 대비 강화** (학교 시험에 자주 나오는 서술형 문제 강화)
3. **문법 인덱스** (적중! 영문법 3300제의 문법 사항을 abc, 가나다 순서로 정리)